Matthias Blazek

# Die Hinrichtungsstätte des Amtes Meinersen

Handle wie die Weisesten vor dir gehandelt haben,
und mache den Anfang deiner philosophischen
Übungen nicht an solchen Stellen, wo dich ein Irrtum
dem Scharfrichter in die Hände liefern kann.

*Georg Christoph Lichtenberg,*
*Schriften und Briefe I, Sudelbücher*

Matthias Blazek

# DIE HINRICHTUNGSSTÄTTE DES AMTES MEINERSEN

Eine Quellensammlung

*ibidem*-Verlag
Stuttgart

**Bibliografische Information der Deutschen Nationalbibliothek**
Die Deutsche Nationalbibliothek verzeichnet diese Publikation in der
Deutschen Nationalbibliografie; detaillierte bibliografische Daten sind im
Internet über http://dnb.d-nb.de abrufbar.

**Bibliographic information published by the Deutsche Nationalbibliothek**
Die Deutsche Nationalbibliothek lists this publication in the Deutsche Nationalbibliografie;
detailed bibliographic data are available in the Internet at http://dnb.d-nb.de.

Satz: Matthias Blazek
Bildbearbeitung: Florian Stutzke, Copy-Center Meyer GmbH, Celle

Abbildungen auf dem Umschlag: Oben: Merian-Kupferstich aus dem Jahre 1654, rechts das
kirchturmähnliche und nicht mehr bestehende Schloss. Unten links: Vor seinem Ende wird dem
zum Tode Verurteilten geistlicher Zuspruch zuteil. Entnommen aus: Polizei im Wandel der
Geschichte – Begleitheft zur Ausstellung, Burgdorf 1995. Unten rechts: Räderskizze zu Anfang des
19. Jahrhunderts.

∞

Gedruckt auf alterungsbeständigem, säurefreien Papier
Printed on acid-free paper

ISBN-10: 3-89821-957-7
ISBN-13: 978-3-89821-957-0

© *ibidem*-Verlag
Stuttgart 2008

# Zum Geleit

Wir sprechen gerne von den dunklen Seiten der deutschen Geschichte, wenn wir von Gräueltaten reden, an denen Deutsche beteiligt gewesen sind. Ein dunkles Kapitel ist das Justizwesen selbst. Irrglauben, Diktatur und Sadismus führten die Angehörigen privilegierter Schichten in früheren Zeiten dazu, ihren Untertanen unsägliches Leid anzutun, sie zu foltern, sie hinzurichten.

Die „Gerichte", die wir in großer Zahl auf der kurhannoverschen Landesaufnahme des 18. Jahrhunderts ausmachen, sind fast durchweg jüngeren Datums. Der Zöllner zu Lüneburg Urban Friedrich Christoph Manecke hatte selbst die Schaffung der Hochgerichtsstätten in den Ämtern miterlebt. Seine Ergebnisse flossen später, 1858, in die „Topographisch-historischen Beschreibungen der Städte, Aemter und adelichen Gerichte im Fürstenthum Lüneburg" ein. Seine Ausführungen datieren aus der Zeit um 1800: „... jetzt aber, nachdem in jeder Amtsvogtei ohnlängst ein Hochgericht angelegt worden ist ..."

In der Tat setzten die öffentlichen Hinrichtungen in den Ämtern bald nach 1750 ein.

Der namhafte Celler Stadtchronist Clemens Cassel (* Salzgitter 12.03.1850, † 23.06.1925) schreibt im ersten Buch (posthum 1930 veröffentlicht): „Dem 18. Jahrhundert mit seinem übertriebenen Streben, alle die unbeschränkte Herrschergewalt beeinträchtigenden Sonderrechte zu beseitigen, war auch die fast nur auf eine bloße Förmlichkeit zusammengeschrumpfte Mitwirkung von Bürgermeister und Rat im peinlichen Rechtsverfahren noch ein Dorn, der beseitigt werden mußte. Da die Stadtbehörde ihre Rechte hartnäckig behauptete und nicht gewillt war, auf die Abfassung der Todesurteile zu verzichten, entstanden Zwistigkeiten, die auch durch eine Rechtsklage mit der Justizkanzlei nicht beseitigt wurden. Die Landesregierung griff nun zu dem Mittel, daß sie die von der Justizkanzlei gefällten Todesurteile über Missetäter, die von auswärts nach Celle zur Fortsetzung der Untersuchung gebracht werden, viele Jahre hindurch von 1751 an nicht mehr hier, sondern auswärts in dem Amte, in dem das Verbrechen begangen war, vollstrecken ließ, ein Verfahren, das zwar sehr umständlich und kostspielig war, aber die verhaßte Mitwirkung des Magistrats beiseite schob. Durch Reskript des Königlichen Ministeriums vom 17. Februar/3. März 1818 wurde jedoch das magistratliche Recht der Urteilfassung auch über solche Verbrecher, die nicht in Celle, sondern auswärts ihre Untaten begangen hatten, aber hierorts hingerichtet werden sollten, bestätigt. Fortab fanden nun alle von der Justizkanzlei dahier gesprochenen Todesurteile hierorts wieder die Vollstreckung."

An dem Weg von Seershausen nach Ohof, im Wald, etwa einen Kilometer von Seershausen entfernt an der westlichen Seite, befindet sich ein tonnenschwerer Findling mit der Inschrift „Hinrichtungsstätte des ehemaligen Amtes Meinersen, letzte Hinrichtung am 27. 2. 1829". Er wurde am 7. September 1983 dort aufgestellt, um auf die ehemalige Hinrichtungsstätte des Amtes Meinersen hinzuweisen. Im Bereich dieses Steins wurden im Laufe der Jahrhunderte viele Verbrecher hingerichtet.

Diese Hinrichtungsstätte stellt in den Lüneburgischen Landen einen Sonderfall dar. Hier, an der Grenze Meinersens gegen Peine, nicht weit von den östlichen Dörfern unseres Landkreises entfernt, war die Hinrichtungspraxis enorm. Allein zwischen 1559 und 1800 verloren dort über 50 Menschen unter der Hand des Scharfrichters ihr Leben. Zeitgenössische Vergleichszahlen aus anderen Ämtern des Fürstentums Lüneburg fehlen leider. Da aber vollstreckte Urteile grundsätzlich in den Celleschen und Hannoverischen Anzeigen bekannt gemacht wurden und man sonst nur selten von Hinrichtungen erfährt, ist von einem geringeren Aufkommen an den Hinrichtungsstätten der anderen Ämter auszugehen.

Der Galgenberg vor Celle war mindestens genauso häufig Austragungsort des „Theaters des Grauens".

Selbst aus der Kreisstadt Gifhorn sind nur wenige Hinrichtungsfälle überliefert. Das sind die Fälle des Straßenräubers Joachim Knute, „Mutz" genannt, von 1571, Friedrich Bartels/Dorothea Elisabeth Otte 1818, Johann Heinrich Achilles 1832 und Jacob Lohmann 1843. Im Stadtarchiv Gifhorn lagern in den drei letzten Fällen die dem Magistrat der Stadt durch das Amt unterbreiteten Verhaltensvorschriften.

Der Blickwinkel des Lesers mag durchweg ein unterschiedlicher sei, zumal das Thema „Hinrichtungen" in vielen Ländern auch in der heutigen Zeit eine „normale" Begleiterscheinung ist. So verlautete erst neulich, am 27. September 2005, in der „Celleschen Zeitung": „Saudi überfährt Landsmann – enthauptet / RIAD. In Saudi-Arabien ist am Montag ein Mann enthauptet worden, der einen Landsmann absichtlich mit dem Auto überfahren haben soll. Wie das Innenministerium in Riad berichtete, hatte der Mann sein Opfer erst angefahren und den am Boden Liegenden dann erneut überfahren. Anschließend flüchtete er. Es war bereits das 69. Mal in diesem Jahr, dass ein Henker in Saudi-Arabien einen Verurteilten mit dem Schwert hinrichtete." Am 2. Dezember 2005 wurde in den USA der 1000. Häftling seit Wiedereinführung der Todesstrafe im Jahr 1976 hingerichtet.

Das vorliegende Werk soll das Ergebnis einer Spurensuche und bereits ein Nachschlagewerk sein. Dass hier nur eine Auswahl von Kriminalfällen präsentiert werden kann, ist bereits an dem umfangreichen Material ersichtlich, welches im Niedersächsische Landesarchiv -Hauptstaatsarchiv Hannover- archiviert ist und auszugsweise am Ende vorgestellt wird.

Der Verfasser

# Gliederung

# Abkürzungsverzeichnis

| | |
|---|---|
| a. a. O. | am angegebenen Orte |
| a. d. | an der |
| a. d. H. | aus dem Hause |
| Art. | Artikel |
| Aufl. | Auflage |
| Bl. | Blatt |
| d | denarius (Pfennig), auch: der (Ältere, Jüngere) |
| d. | den |
| d. d. | de dato (vom Datum) |
| d. h. | das heißt |
| d. J. | dieses Jahres |
| EDL | Englisch-Deutsche Legion (1803 gegründet) |
| f., ff. | folgend(e) |
| g, gl | Groschen |
| g. | Gulden |
| geb. | geborene |
| hl. | hochlöblicher |
| Hrsg. | Herausgeber(in) |
| It. | item: ebenso, ferner, desgleichen |
| lt. | laut |
| mgr | Mariengroschen |
| N.B. | Nebenbemerkung |
| Nds. HptStA | Niedersächsisches Hauptstaatsarchiv |
| N. N. | nicht nominiert |
| Nr. | Nummer |
| OLG | Oberlandesgericht |
| p. | und so weiter |
| s. | Schilling |
| S. | Seite |
| Samml. | Sammlung |
| sen. | Senior |
| u. | und |
| u. a. | unter anderem |
| Urk. | Urkunde |
| v. | vnd, und |
| verh. | verheiratet |
| z. B. | zum Beispiel |
| ZHVN | Zeitschrift des historischen Vereins für Niedersachsen |
| z. V. | zum Vergleich |

# Das Amt Meinersen und seine Beamten

Im Jahre 1532 richtete das Herzogtum Braunschweig-Lüneburg das Amt Meinersen ein, das bis 1885 bestand. 1867 bis 1885 bildete das Amt Gifhorn mit den Ämtern Fallersleben und Isenhagen sowie Teilen des Amtes Meinersen die Kreishauptmannschaft Gifhorn.

Jedem Amt stand zur Erledigung der Verwaltungs- und zugleich der Justizsachen der rechtsgelehrte adlige Drost oder Amtmann vor. Zur Seite hatte er einen meist rechtsgelehrten bürgerlichen Amtschreiber. Als Arbeitshilfe und zur Ausbildung waren Auditoren angestellt, wir würden heute sagen Referendare, von denen die adeligen alsbald supernumerare Droste, die bürgerlichen supernumerare Amtschreiber wurden. Verwaltung und Rechtsprechung lag bei den Ämtern in den Händen ein und derselben Amtspersonen. Immerhin bahnte sich unter dem Einfluss französischen Rechtsdenkens in der nachnapoleonischen Zeit eine allmähliche Reorganisation der Staatsbehörden nach freiheitlichen Grundsätzen an.

## Die Gebäude

Das Amtshaus (heute Künstlerhaus) in Meinersen ist ein zweigeschossiges Fachwerkgebäude von 1765 unmittelbar an der Hauptstraße. Es wurde als Dienstsitz der Amtmänner des Amtes Meinersen errichtet. Vorher stand an dieser Stelle das Schloss Meinersen, von dem sich noch Mauerreste im Boden finden. Nach der Auflösung des Amtes 1885 diente das Haus bis 1959 als Dienstwohnung des Richters am Amtsgericht. Danach wurde es als Kindergarten genutzt, bis in den 80er Jahren des 20. Jahrhunderts daraus ein Künstlerhaus mit sechs Atelierwohnungen wurde.

Das Amtschreiberhaus entstand 1745 als Dienstwohnung des leitenden Beamten des Amtes. Der zweigeschossige Fachwerkbau mit rosa Gefachen liegt leicht zurückgesetzt nördlich der Hauptstraße. Bei Auflösung des Amtes Meinersen 1885 wurde darin eine Landwirtschaftsschule eingerichtet, die dort bis 1965 bestand. Nach kurzer Übergangszeit als Polizeistation bezog die Gemeindeverwaltung 1971 das historische Gebäude. 1986-90 entstand der neue Sitz der Samtgemeinde Meinersen. Dazu wurden das restaurierte Amtschreiberhaus, ein ebenso altes Nebengebäude und ein Neubau durch lichte Glasgänge miteinander verbunden.

Als Geburtsurkunde des Meinerser Amtsgerichts gilt die von König Georg V. in seinem Schloss Monbrillant in Hannover am 7. August 1852 erlassene Verordnung über die Bildung selbstständiger Amtsgerichte und Verwaltungsbehörden, die am 1. Oktober 1852 in Kraft trat. Aufgrund der Anlage zu dieser Verordnung erhielt jedes Amt ein separates Amtsgericht. Am 1. April 1959 wurde das Amtsgericht Meinersen aufgelöst. Die zum Landkreis Gifhorn gehörenden Orte aus seinem Bezirk kamen zum Amtsgericht Gifhorn. Dort setzen sich besonders die Amtsgerichtsdirektoren Dr. Johannes Schubert und Helmut Goose für eine Verbesserung der räumlichen Situation ein.

Als Amtsgericht diente bis 1959 das neben dem Amtshaus stehende „Poorthus" (Pforthaus).

### Die Beamten

Wer in den insgesamt rund 350 Jahren beim Amt angestellt war, ist an verschiedenen Stellen zu erfahren. Es ist eine Spurensuche. Hier einige kurze Hinweise zu verschiedenen Personen:

### Burchard von Cramm, 1532-1539

Der Zöllner zu Lüneburg Urban Friedrich Christoph Manecke verfasste das für die Heimatkunde in Niedersachsen bedeutende Werk „Topographisch-historische Beschreibungen der Städte, Aemter und adelichen Gerichte im Fürstenthum Lüneburg" (zwei Bände, Celle 1858), in dem er u. a. die amtliche Zuordnung, Bevölkerungsmenge und Historisches der Dörfer mit Stand um das Jahr 1800 behandelte. In seiner Geschichte des Königlichen Amtes Meinersen, im Lüneburgischen, abgedruckt in der Dorfchronik Nienhof (Langlingen 2005), schreibt er: „Nach dieser Abtretung verblieb Meinersen auch fernerhin in pfändlicher Währe. Dem Heinrich von Saldern folgte der Sohn, auch Heinrich genannt, auf zwei Jahre, (1523-25.) diesem, Burchard von Cramm, auf sechs Jahre (1525-31.) und solchem Aschen von Cramm, auf acht Jahre, (1531-39.) h) Daß jener Burchard von Cramm von dem Herzoge Ernst 1532 die Lose auf das Haus Meinersen erhalten habe, i) kann seyn, daß es aber damals mit der Ablösung zur Richtigkeit gekommen, will nicht anscheinen, weilt erst nach Ableben des Asche von Cramm, nemlich 1539, dem Amtmanne Hans Schulte die Verwaltung des Amts ist übertragen worden. Seit dieser Zeit hat die Landesherrschaft die Aufkünfte dieses Amts durch Beamte berechnen, auch durch solche, die obrigkeitlichen Handlungen darin besorgen lassen."

### Hans Schulte, 1539

Manecke weist auf den Amtsantritt Schultes als Amtmann im Jahre 1539 hin.

### Nicolaus Weinigel, 1605

Nicolaus Wein(n)igel oder Wenigel war zuvor von 1584 bis 1595 Amtmann zu Burgdorf gewesen. Im Fall des 1591 hingerichteten Sodomiten taucht er bereits in Meinersen als „alter blinder Amtmann" auf.

Im „Chronicon Obershagense", dem Hauptabschnitt in der Chronik der evangelisch-lutherischen Kirchengemeinde Obershagen 1669-1736, ist vom Ableben Weinigels die Rede:

*Anno 615.*

*(...) lt. den 28t febr. Inter hor. 2 et 3. pomeri d. placide obdormivit Nicolaus weinigel Ambtman zu Meinerßen, v. den 8 martij in die Kirchen begraben.*

## Wilhelm Diekmann, 1618

In einem herzoglichen Schreiben vom 1. April 1618 wird als Amtmann in Meinersen Wilhelm Diekmann genannt. Er muss damals bereits betagt gewesen sein, denn im Jahr zuvor ist von dem „alten Amtmann Dykmann" die Rede.

## von Hollwede, 1642

Amtmann von Hollwede taucht 1642 im Kriminal-Schriftverkehr auf. Er war vorher, in den dreißiger Jahren des 17. Jahrhunderts, Verwalter des Gutes der Herren von Lüneburg nördlich von Uetze gewesen.

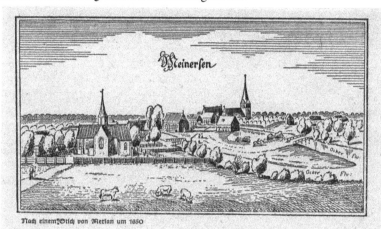

*Der Merian-Stich (1654) auf einer Ansichtskarte von 1947. Ansichtskarten-Sammlung Horst Berner*

## Johann Georg Knopff, 1680

Johann Georg Knopff war Amtmann zu Meinersen und danach Kammerherr in Celle. Er starb am 13. September 1685. Seine Eltern waren Burchard Knopff (Amtmann zu Wölpe und Neustadt a. R.) und Minthe Catharina Knopff, geborene Rode (Tochter von Pastor Rode und Minthe, geborene Paxmann). Der Amtmann Knopff wird unterm 8. Januar 1668 in Zusammenhang mit dem damals in Eltze logierenden Oberstleutnant Fahnschmitt erwähnt. (Unser Kreis, Nr. 3, 15.03.1986)

## Caspar Loseken, 1685

Caspar Loseken unterschrieb auf einem Schreiben vom 25. November 1685 neben dem Burgdorfer Amtmann Henning Kaufmann.

## Conrad Barnstorf (Bernstorff), 1690

Auf dem Epitaph in der St.-Marien-Kirche in Päse steht die Lebensgeschichte des Conrad Bernstorff, einem Amtmann zu Meinersen, der 1694 starb. Das Holzkunstwerk lag viele Jahre achtlos versteckt auf dem Dachboden des Pfarrhauses. Nun verschönert es den Kirchenraum von St. Marien.

Foto: Blazek

## Johann Heinrich Osterloh, 1695

An der Außenwand der St.-Georg-Kirche in Meinersen ist eine Grabplatte befestigt worden, die auf diesen Amtmann hinweist. Die Platte wurde erst später umgesetzt, da das heutige Kirchengebäude erst 1772 errichtet worden ist. Da heißt es:

*Ao. 1695 d. 16 May ist Daniel Johann Christian, H. Johann Heinrich Osterloh, Fürstl. B. L. Ambtmans zu Meinerß. und Fruwen Agnese ... Barnstorff geliebte [Söhnl]ein auff diese welt gebohren und Ao. 1696. d. 13. Martij aus diesem leben von gott abgefordert, deßen Cörper unter diesen stein gesencket.*

(...)

## Jacob Ernst v. Hohnhorst, 1700

Jacob Ernst v. Hohnhorst, Herr auf Hohnhorst, Sohn von Dietrich v. Hohnhorst, der zu Ausklang des 17,. Jahrhunderts lebte, war königlich großbritannischer Landrat, Hofrichter zu Celle und Drost zu Meinersen (Neues allgemeines deutsches Adels-lexicon, von Ernst Heinrich Kneschke).

## Arnold Rudolf Leist, 1715

Der Meinerser Amtschreiber Leist (* Lauenau/Deister 3. Februar 1686, † Oldenstadt bei Uelzen 10. Mai 1744) wirkte dort von 1715 bis 1730. Er findet sich in Heft 179 der „Lauenburgischen Heimat", Ratzeburg 2008, S. 65-66, mit seinen Angehörigen. Leist ging 1730 als Amtschreiber von Meinersen nach Schwarzenbek/Holstein und wurde 1743 Oberamtmann in Oldenstadt.

## Johann Philipp Tiling, 1721

Johann Philipp Tiling ist kurzzeitig als Amtschreiber in Meinersen tätig gewesen: 1713 Studium in Halle, 1721 Amtschreiber zu Meinersen, 1724 Amtmann zu Syke, 1741 Amtmann zu Gifhorn, verheiratet mit Gese Marie, geborene Meineking, ein Sohn: Moritz Rudolf (* Meinersen 21.12.1724, † 24.05.1789, Oberhofkommissar in Hannover).

## Brand Ernst von Bothmer, 1739

Brand Ernst von Bothmer taucht 1739 als Drost zu Meinersen auf. Werfen wir einen Blick in den damals im Fürstentum Lüneburg gebräuchlichen Almanach:

*Siebenfacher Königl. Groß-Britannisch- und Chur-Fürstl. Braunschweig-Lüneburgischer Staats-Calender über Dero Chur-Fürstenthum Braunschweig-Lüneburg, und desselben zugehörige Lande, Aufs 1739. Jahr Christi:*

# Derer im Herzogthum Lüneburg-Celle belegenen Aemter Drosten und Beamte.

*(...)*

## Meinersen.

*Herr Brand Ernst von Bothmer, Droste.*
*" Gottf. Anth. Hübener, Commissarius, u. Amtschr.*

1741 und 1742 sind die Angaben dieselben, nur, dass 1742 Gottfried Anthon Hübener die neue Amtsbezeichnung „Commissarius und Amtmann" innehatte. An dieser Stellenbesetzung änderte sich auch die nächsten Jahre nichts, allerdings trug Brand Ernst von Bothmer im Staatskalender auf das Jahr 1745 und späterhin den Titel Oberhauptmann.

In den Jahren 1753 und 1754 dann finden wir neben dem Oberhauptmann Brand Ernst von Bothmer Johann Christoph Ludewig in der Funktion des Amtmanns. Ludewig wurde dann durch den Amtschreiber Friederich Wilhelm Zinn ersetzt, den die Staatskalender der Jahre 1755 bis 1758 aufführen. Brand Ernst von Bothmer wurde 1758 auch als Ritterschaftsdeputierter (in Nebenfunktion) gelistet. 1759 finden wir von Bothmer dann als Oberhauptmann und Schatzrat und daneben Henrich Ernst Ludewig Meyer als Amtschreiber.

Am 9. Oktober 1753 erging vom löblichen Land- und Schatz-Ratskollegium in Celle die Bitte an Oberhauptmann Brand Ernst von Bothmer und Amtmann Johann Christoph Ludewig in Meinersen, sie mögen wegen der neulich in Hänigsen abgebrannten Häuser den Brandschaden mit zur Rechnung bringen.

Es wundert doch sehr, dass 1760 als Amtschreiber erneut Friederich Wilhelm Zinn im Staatskalender genannt ist, 1762 dann aber wieder Henrich Ernst Ludewig Meyer als solcher fungiert. Das lässt doch Fragen offen.

### Anton Bernhard Flotho, 1765

Der „Siebenfache Königl. Groß-Britannisch- und Chur-Fürstl. Braunschweig-Lüneburgischer Staats-Calender über Dero Chur-Fürstenthum Braunschweig-Lüneburg, und desselben zugehörige Lande, Aufs 1765. Jahr Christi" nennt Anton Bernhard Flotho als Amtmann und Henrich Ernst Ludewig Meyer als Amtschreiber, und an dieser Kombination sollte sich in den folgenden Jahren auch nichts ändern.

*Eine Aufnahme des Amtshauses. Auszug aus einer Ansichtskarte von 1905 mit mehreren Abbildungen – nicht des Amtsgerichts, wie es fälschlicherweise auf dem Ansichtskarten-Druck steht. Ansichtskarten-Sammlung Horst Berner*

### Henrich Ernst Ludewig Meyer, 1770

Henrich Ernst Ludewig Meyer (* 17. März 1731, † 18. Januar 1818 in Meinersen) war der nachfolgende Amtmann zu Meinersen, und zwar zwischen 1770 und 1790, und dann Oberamtmann zu Westen bei Verden. Er heiratete am 9. November 1761 Eleonora Friderica Strube (* Neustadt 1. März 1745, † Verden in Fallersleben 8. April 1828) und hatte immerhin 15 Kinder.

### Ernst Bodo Friedrich von Alten, 1786

Oberhauptmann Ernst Bodo von Alten wurde am 29. August 1754 in Hannover-Neustadt als Sohn des Burgwedeler Oberhauptmanns August Eberhard von Alten und seiner Ehefrau Henriette Philippine, geborene von Vincke, geboren. Ernst von Alten heiratete eine Freiin von dem Bussche aus dem Hause Haddenhausen. Ehe er 1786 nach Meinersen versetzt wurde, war er von 1783 bis 1786 erster Beamter des Amtes Burgdorf gewesen. In Meinersen wirkte er bis 1790. Er starb in Burgwedel am 27. Juni 1799.

### August Christian Friedrich Gottlob von Harling, 1801

Drost von Harling wird im Jahre 1801 erwähnt. Er erstellte in jenem Jahr das „Verzeichniß von 1559 bis 1800 bey dem hiesigen Amte, justificirten Verbrecher". August Christian Friedrich Gottlob von Harling wurde am 13. August 1772 als Sohn des Kapitänleutnants im Kavallerie-Regiment Georg Gottlieb von Harling geboren. Ab dem 9. November 1790 besuchte er die Universität Göttingen. 1799 wurde er Auditor in Winsen/Luhe und schließlich 1801 Drost zu Meinersen. Er starb am 21. Januar 1840 in Hannover.

Als im Jahre 1809 das Aufräumen der Brandstelle zu Burgdorf angegangen wurde – Burgdorf war am 25. Juni des Jahres fast völlig in Flammen aufgegangen –, ist vom Meinerser Amtschreiber Lueder, einem Freund des Landbaumeisters Ulrichs, die Rede. Lueder war zuvor, vom 2. November 1807 bis 27. Februar 1808, Amtschreiber in Fallingbostel gewesen.

### Carl Johann Georg von Düring, 1815

Einer der fortschrittlichen Menschen, die mit einer geregelten Bewässerung begannen, war der Amtshauptmann und Drost Carl Johann Georg von Düring. In seiner Wirkungszeit in Meinersen (1815-1852) ließ er die ersten Versuche mit der Berieselung von Wiesen durchführen. Geboren wurde er in Horneburg am 10. April 1773. Sein Sohn Otto Albrecht von Düring (1807-1875) kam nach der Beendigung seines Studiums der Rechtswissenschaft in Göttingen 1828 als Auditor zum Amt Meinersen. „Im December 1829 zum Auditor bei der Justizcanzlei zu Stade ernannt, hat er diesem Gerichte bis zum J. 1847, seit 1832 als Assessor, seit 1839 als wirklicher Justizrath angehört." (Allgemeine Deutsche Biographie, Band 5, 1877, S. 486 ff.) Oberhauptmann Carl Johann Georg von Düring ging 1852 in Pension. Er starb in Meinersen am 10. September 1862.

Möglicherweise hatte 1839 ein Amtsassessor namens v. Hinüber in Meinersen gearbeitet.

## Otto Carl Niemeyer, 1818

Dem Amtshauptmann zur Seite stand 1818 der Amtsassessor und spätere Amtmann Otto Carl Niemeyer (amtierte noch 1828). Er schrieb: „Ueber Criminal-Verbrechen, peinliche Strafen, und deren Vollziehungen, besonders aus älteren Zeiten / aus den Criminal-Acten des Königl. Hannov. Amts Meinersen größtentheils gesammelt", Lüneburg 1824 (Bibliothek des OLG Celle A 64.447.553). Niemeyers Werk ist als Anhang in das Neue vaterländische Archiv, Jahrgang 1824, eingearbeitet. Auf der Ankündigung des Verkaufstermins der Gastwirtschaft Neuegarten in Uetze unterschrieben am 2. August 1824 vom Königlich Großbritannisch-Hannoverschen Amt Meinersen von Düring, Niemeyer und Stelling („Braunschweigische Anzeigen", Amt Meinersen).

Heinrich Ringklib stellte 1844 in seinem Buch den Status quo bezüglich des Amtes Meinersen fest. Zunächst der Hinweis: Die Grundlage des hannoverschen Kriminalprozesses bildeten das Kriminalgesetzbuch vom 8. August 1840 und das Gesetz über das gerichtliche Verfahren in Kriminalsachen vom 8. September 1840. Das Amt Meinersen zählte zu den „Sonstigen Obrigkeiten, welche in ihren Bezirken alle Criminal-Untersuchungen bis jetzt noch selbständig führen".[1]

*Aufnahme des Amtshauses um 1920.*                    *Repro: Berner*

## Wilhelm Friedrich Otto Graf von Borries, 1826

Der hannoversche Minister Wilhelm Graf von Borries (* Dorum 30. Juli 1802, † Celle 13. Mai 1883) war zu Beginn seiner Karriere ab 1826 Auditeur in Meinersen, dann Amtsassessor in Harsefeld. 1829 wurde er Hofgerichtsassessor an der

---

[1] Statistisch-topographisches Hand- und Wörterbuch über den Landdrostei-Bezirk Lüneburg, größtentheils nach amtlichen Nachrichten bearbeitet und herausgegeben von Heinrich Ringklib, Calculatur-Gehülfen bei Königlicher Landdrostei zu Lüneburg, Celle 1844, S. 37 f.

Justizkanzlei in Stade. Im Jahr 1834 heiratete von Borries seine Ehefrau Artemista (geborene von Lütken). Im Jahr 1848 wechselte er zur Landdrostei in Stade. Während der Revolution von 1848 stand von Borries zunächst auf Seiten der Liberalen, wechselten aber später in das Lager der Adelspartei über. Dadurch machte er sich in konservativen Kreisen einen Namen und wurde daher 1851 Innenminister des Königreichs. Allerdings stimmten seinen Ansichten nicht mit denen des gemäßigten Regierungschef Eduard von Schele zu Schelenburg überein, so dass von Borries 1852 zurücktrat. Im Jahr 1855 wurde er in der Regierung Eduard von Kielmannsegg erneut Innenminister.

Den Oberhauptmann von Düring bezeichnete von Borries als seinen Oheim (Onkel).

### Johann Georg Conrad Eggers, 1852

Johann Georg Conrad Eggers wurde Amtmann in Meinersen, als mit Wirkung vom 1. Oktober 1852 die Justiz von der Verwaltung getrennt wurde. Nach dem Hof- und Staatshandbuch für das Königreich Hannover auf das Jahr 1853 stand ihm zunächst nur der Amts-Gehülfe G. O. P. D. Pabst zur Seite. Später, so besagt es beispielsweise das Handbuch für die Provinz Hannover auf das Jahr 1870, hatte er mit J. C. A. Schulmeister einen Amtssekretär und mit F. H. Kroning (Träger des Hannoverschen allgemeinen Ehrenzeichens) einen Amtsvogt als Mitarbeiter in der Behörde.

Eggers war in späteren Jahren Mitglied 4. Klasse des Hannoverschen Guelphen-Ordens. Er war Mitglied der Ablösungskommission und wurde 1870 mit Amtshauptmann betitelt.

### Ludolf Karl Wilhelm Ludwig Adolf Freiherr v. Uslar-Gleichen, 1877

Amtshauptmann Freiherr v. Uslar-Gleichen war von 1877 bis 1882 Amtmann zu Meinersen (Hubatsch, Walter, Grundriss zur deutschen Verwaltungsgeschichte, 1815-1845, Hannover und Marburg 1981). Frau Amtshauptmann Freifrau Auguste v. Uslar-Gleichen war eine Geborene von Hinüber.

### Bernhard Baurschmidt, 1883

Kommissarischer Amtshauptmann des Königlichen Amtes Meinersen war von 1883 bis 1885 der Peiner Landrat Bernhard Baurschmidt. Baurschmidt, geboren zu Lüchow am 4. Dezember 1839, gestorben in Wernigerode am 7. April 1906, hatte ein Studium der Rechtswissenschaft an den Universitäten Heidelberg und Göttingen absolviert, 1869-1883 war er gewählter Bürgermeister von Osterode/Harz, 1877-1882 Mitglied im preußischen Abgeordnetenhaus, 1883 Landrat des Kreises Peine und Oberregierungsrat in Magdeburg, 1887-1888 Mitglied des Reichstags (nationalliberal) (Niedersächsische Juristen 2003, S. 314 f.).

Quellen:

Eckhard Korth: Annalen der Gifhorner Rechtsgeschichte, Gifhorn 1996
Helmut Buchholz: Das Amt Meinersen von 1532-1885 – mit dem Erbregister von 1616, Meinersen 1983-1985 (Herausgeberin: Gemeinde Meinersen)

# Geschichte des K. Amts Meinersen, im Lüneburgschen.

Vom Herrn Zöllner Maneke in Lüneburg. [*]

Die ältesten Bewohner des Landes an der Fuse, woran das Amt Meinersen mit liegt, sind unbezweifelt die Fosi gewesen; in diesem Lande der Foser aber Spuren der Katten, wegen der in diesem Amte liegenden Oerter Katenhausen, verkürzt Katensen, Torkatten, welchen Namen das heutige Ambostel, jedoch unerwiesen, geführt haben soll und Ketjenmühle, richtiger Kötjenmühle, gefunden zu haben, a) ist schier lächerlich, denn der Katten Urbenennung ist gewiß Hatten, oder Hetten gewesen, woraus die Griechen und Römer Chatten gemacht haben b) und der Namens=Ursprung von Katensen läßt sich weit eher von einer oder mehreren Kothen, niedersächsisch: Katen, die hier zuerst vorgerichtet worden sind, ableiten, der Kötjenmühle aber von ihrem ersten Erbauer, es wäre dann, daß man der Volkssage Gehör geben wolle, nach der sich bei dieser Mühle in der Vorzeit viele Hexen, wie es deren noch gab, in der Gestalt von Katzen, verkleinert Kätjens, aufgehalten haben. c)

Zu den ältesten und angesehensten Begüterten im Amte haben wohl sicher die Edlen von Meinersen gehört, die sich vor Alters Meunressel geschrieben. d) Ein Luthard ist nach Urkunden ihr Ahnherr; wenn nicht der Luthard, der 1147 als Schutzvoigt des Klosters Schöningen vorkömmt, e) doch sicher der Luthard von Meinersen, der 1156 eine Herzogliche Ausfertigung mit beglaubigt hat; f) doch hat zu ihren Besitzungen nicht das ganze jetzige Amt gehört, denn neben ihnen sind noch mehrere vom Adel, wie unter andern die von Gerstenbüttel und von Uetze darin begütert gewesen, dagegen aber haben die von Meinersen, auch einzelne Güter im jetzigen Calenbergischen, wie unter andern das Lehnrecht über die Klikmühle zu Hannover g) und im Wolfenbüttelschen, wie unter andern das, Meinersen nahe liegende Schloß Neubrück im jetzigen Kreisgerichte Bettmar h) und Güter in Hallensen, im jetzigen Kreisgerichte Grene besessen. i) Ihr Hauptsitz Meinersen ist ein Reichslehn gewesen, wie solches K. Otto IV. selbst 1213 in seinem Testamente versichert: k) haben ihn auch noch 1277 besessen, denn in diesem Jahre hat Luthard, von Gottes Gnaden Edler von Meinersen, darauf eine Urkunde ausgefertigt. l) Nach dieser Zeit sind sie Ministerialien der Herzöge von Braunschweig=Lüneburg, mithin denenselben unterwürfig geworden, wie eine Urkunde des Herzogs Albrecht von 1292 erweiset, die dessen Ministerial Luthard von Meinersen mit beglaubigt. m) Wann, wie und auf was Weise aus dem Besitze von Meinersen gekommen, davon sind die wahren Umstände im Ganzen unbekant. Die Angabe, daß die Brüder und Borchard und Luthard mit dem Herzoge Otto dem Strengen in Feindseligkeit gelebt, solche Feindschaft ihnen den Verlust des Hauses Meinersen zugezogen und der Herzog es diesemnach an die von Wenden, n) oder wie andere angeben, an die von Bargfeld eingethan habe, o) hat nicht nur dieses wider sich, daß gleichwie die von Bargfeld sicher und gewiß nur Burgmänner zu Meinersen gewesen sind, p) es auch die von Wenden nur gewesen seyn werden, sondern auch vornehmlich dieses, daß sich Borchard und Luthard von Meinersen in einer zu Grubenhagen 1306

[*] Der Herr Zöllner Maneke (Vf. der Beschreibung und Geschichte der Stadt Lüneburg. Hannover 1816. 8.) hat die Güte gehabt, mir den nachfolgenden Aufsatz als eine Probe seiner Geschichte der Lüneburgschen Aemter mitzutheilen.

G. S.

17

ausgefertigten Urkunde Nobiles et Domini de Meynersen nennen. q) Es will daher glaublich scheinen, daß gleichwie Borchard Edler von Meinersen sein Schloß Neubrück dem Herzoge Otto 1321 überlassen hat, r) ein gleiches auch von ihm, seinen Brüdern, oder von seinen Vettern, in Ansehung des Hauses Meinersen geschehen seyn und nach deren Ableben der Landesherr Meinersen, als eröffnetes Lehn wird an sich genommen haben. Die letzteren ihres Geschlechts, weltlichen Standes, sind nach einer Urkunde von 1355 die Brüder Bernhard, Borchard und Luthard s) und der letzte, geistlichen Standes, mithin nicht lehnsfähig, der Domherr Bernhard zu Magdeburg, nach einer Urkunde vom Jahre 1367, t) welcherhalb der Angabe, daß die von Meinersen erst zur Regierungszeit des Herzogs Wilhelm des Aeltern, der in der Geschichte 1420 zuerst vorkömmt und 1482 verstorben ist, ausgestorben und demselben Meinersen angefallen sey, u) nicht wohl beizupflichten steht, auch um so mehr, da Herzog Wilhelm den Braunschweigschen Landestheil besessen, Meinersen aber zum Lüneburgschen Landestheil gehört hat. Dahingegen steht der Versicherung nichts entgegen, daß Herzog Magnus mit der Kette zu Lüneburg das ihm anheim gefallene Haus Meinersen 1364 an Thomas von Rottleben auf Lebenszeit verliehen habe, nach dessem, bald nachher erfolgten Ableben aber an denselben zurück gefallen sey; — v) der Angabe aber, daß darauf das Haus Meinersen mit der heutigen Gohgräfschaft Edemissen und Voigtei Uetze vereinigt worden sey, w) steht entgegen, daß Meinersen, Edemissen und Uetze wahrscheinlich schon lange vorher einen Gerichtsbezirk werden ausgemacht haben, wenigstens sich über solche Verbindung nicht die mindeste Nachricht beim Amt findet. x)

Nicht lange nach des gedachten von Rottleben Absterben ist Meinersen der Stadt Lüneburg pfändisch geworden; ob von den Lüneburgschen, oder aber von den Sächsischen Herzögen, die sich verschiedene Jahre über, um den Besitz des Herzogthums Lüneburg gestritten haben, ist indessen unbekannt. Im Jahre 1386 wird Rabode Wela, als besagter Stadt=Hauptmann auf Meinersen namhaft gemacht; — y) 1387 in dem Vergleiche zwischen den Lüneburgschen und Sächsischen Herzögen wird es dem Rathe der Landstände überlassen, welches von den beiden Schlössern Meinersen und Rethem der Herzog Heinrich für sich solle einlösen können z) und 1388 überwies der Rath zu Lüneburg noch tausend Mark auf das Pfandgut Meinersen. a)

Bis hieher hat Meinersen einen Theil der Lüneb. Landesportion ausgemacht, 1428 aber ist es zur Wolfenbüttelschen geschlagen worden. b) Ob es zu der Zeit die Landesherrschaft selbst genutzt, oder aber ob es Jemandem pfändlich ist eingeräumt gewesen, findet sich nicht. Ist letzteres, so sind es gewiß die von Bargfeld gewesen, da von diesen, wie schon angezogen, versichert wird, daß sie Meinersen langjährig inne gehabt haben. Von der Mitte des 15ten Jahrhunderts an kennt man die Pfandinhaber, oder Hauptmänner dieses Amts in einer ununterbrochenen Reihe. Hartwig v. Velteheim war es neun Jahre (1448=54.) Johann von Obbershausen drei Jahre, (1454=57.) Henning von Obbershausen sechs Jahre, (1457=67.) Cord und Heinrich von Marenholz acht Jahre, (1467=75.) Joachim von Burchtorf und Albrecht Schencke vier Jahre, (1475=79.) Sievert Schencke, neun Jahre, (1479=88.) und Heinrich von Saldern, 35 Jahre, (1483= 1523. c)

Während des letzten Pfand=Besitzes d) und zwar nach den Vergleichen, welche die Herzöge Heinrich zu Braunschweig und Heinrich zu Lüneburg wegen der Göttingenschen Erbfolge 1491 und 1512 errichteten, ist dies Amt wieder an das Lüneburgsche Regierhaus abgetreten worden e) und seit solcher Zeit dabei unverrückt verblieben. Um deswillen, weil in diesen Vergleichen die Burg und Gerichte Meinersen, der Kamp und die Freien vor dem Walde, in einer Folge aufgeführt werden, zu versichern, daß zu Meinersen vormals das heutige Amt Kampen und die Amtsvoigtei Ilten mit gehöret habe, f) ist gar fehlsam; denn dies Amt war bei der Abtretung im Ganzen schon solchergestalt begrenzt, wie es jetzt ist, und das Amt Kampen ist ohnehin durch das Amt Gifhorn von diesem Amte getrennt, die Amtsvoigtei Ilten aber von Alters her zur Großvoigtei Zelle gehört. g) Nach dieser Abtretung verblieb Meinersen auch fernerhin in pfändlicher Währe. Dem Heinrich von Saldern folgte der Sohn, auch Heinrich genannt, auf zwei Jahre, (1523=25.) diesem, Burchard von Cramm, auf sechs Jahre (1525=31.) und solchem Aschen von Cramm, auf acht Jahre, (1531=39.) h) Daß jener Burchard von Cramm von dem Herzoge Ernst 1532 die Lose auf das Haus Meinersen erhalten habe, i) kann seyn, daß es aber damals mit der Ablösung zur Richtigkeit gekommen, will nicht anscheinen, weilt erst nach Ableben des Asche von Cramm, nemlich 1539, dem Amtmanne Hans Schulte die Verwaltung des Amts ist übertragen worden. Seit dieser Zeit hat die Landesherrschaft die Aufkünfte dieses Amts durch Beamte berechnen, auch durch solche, die obrigkeitlichen Handlungen darin besorgen lassen.

---

a) C. F. Fein in den Hannöv. gelehrten Anzeigen v. J. 1754. Stück 9.

b) H. B. Wenks Hessische Landesgeschichte II, 21. 23.

c) Fein am angez. Orte S. 116.

d) J. B. Lauensteini descriptio dioecesis Hildesheimensis pag. 77. Ej. censor historiae episcop. Hildesh. pag. 6.

e) Urk. in J. F. Falk trationibus Corbeiensibus pag. 767.

f) Urk. ap. Falk l. c. pag. 223. Von diesem Lutharden hat H. Meibom in chronic Riddagsh. 40. et in Script. rer. Germ. III. 364. ein Geschlechts=Register dieser Edlen geliefert, das J. C. Harenberg in historia diplomatica Gandershem. pag. 377. in etwas verbessert, hat wieder abdrucken lassen, doch aber noch sehr unvollständig ist. Urkunden, worin Personen ihres Geschlechts vorkommen, trifft man an, ap. Falk p. 223. 767. 782. 783. 792. 884. in Meibomi S. R. G. III. 261. 149. 357. 363. 158. 159. in P. Leyseri historia comitum Wunstorp. Ed. II. pag. 16. in S. Hoßmanns Regentensaal S. 643. 644. ap. Harenberg l. c. Pag. 366. 1295. 1313. 1572. 997. in P. J. Rehtmeiers Braunschw. Lüneb. Chronic S. 472. in J. F. Pfeffingers Braunschw. Lüneb. Historie I. 11. in Chartalogio hospital St. Mariae in Brunsv. in Pistorii amoonitat. historico juridicis VII. 2331 2338. 2336. 2337. 2339. 2342 2340. 2343. 2344. 2342. 2351. in den Braunschw. Anzeigen v. J. 1747. S. 726. 727. v. J. 1750 S. 1836. in P. W. Gerken codice diplomat. Brandenb. I. 200. IV. 515. id Erath codice Quedlingb. 263. in C. L. v. Bilderbecks Sammlung ungedr. Urkunden zur Erläuterung der Niedersächsischen Geschichte I. VI. 38. 39. in C. U. Grupen originibus et antiquat. Hannov. 350. 354. und in Wenks angez. Geschichte II. Urk. 245.

g) Urk. ap. Grupen l. c.

h) Urk. ap. Falk l. c. pag. 792.

i) Urk. in Bilderbecks angez. Urkunden=Sammlung I. VI. S. 88.

k) Urk. in Rethmeiers angez. Chronica S. 458.

l) Urk. ap. Erath l. c. pag. 263.

m) Urk. in den Braunschw. Anzeigen v. J. 1750. S. 1836.

n) Meibom S. R. G. cit. pag. 365. Hoßmann am angez. Orte S. 644.

o) Ungedrucktes Verzeichniß der Inhaber des Hauses Meinersen nicht lange nach 1593 angefertigt. Es werden darin die von Bargfeld als Inhaber des Hauses Meinersen vor der Mitte des 15ten Jahrhunderts mit der Versicherung aufgeführt, daß sie es 160 Jahre lang besessen hätten, also von 1290 bis 1450, so aber sicher, wie der Erfolg ergeben wird, in einem Irrthum beruhen wird. Dies Verzeichniß habe ich in einem Exemplare der Hofgerichts=Ordnung von 1564 in einer Bücher=Auction 1792 erstanden, auf dem vordern Schutzblatte vorgefunden, auf dem hintern aber ein Verzeichniß desjenigen, was zum Frauengerade im Gerichte Meinersen gehöre, beides herausgenommen und dem Amte Meinersen als eine Antike zugesandt.

p) In einer Urkunde des Klosters Ebstorf vom Jahre 1325 nennt sich Ottrave von Bervelde, Castellanus in Meinersen, und in einer vom Jahre 1449 Heinricus von Bervelde, Armiger in castro Meinersen.

q) Urk. in Bilderbecks angez. Urkunden=Samml. t. VI. S. 88.

r) Urk. ap. Falk l. c. 792. Borchard nennt sich in dieser Urkunde schlechtweg: Nobilis de Meinersen und eben also in Urkunden von 1322 und 1347 bei Bilderbeck in angez. Urkunden= Sammlung I. VI. 90. und ap. Grupen l. c.

s) Grupen l. c. 350.

t) Urk. ap. Gerken in codice cit. IV. 515.

u) Niedersächsisches Cronicon in C. Abels Sächsischen Alterthümern III. 210. H. A. Kochs Geschichte des Hauses Braunschw. Lüneburg 303. 304.

v) M. Merians Topographie und Beschreibung des Herzogthums Braunschweig=Lüneburg 155. Hoßmanns Regentensaal 644. Rehtmeiers angez. Chronica 638. Merian schrieb aus Nachrichten, ihm auf landesherrlichen Befehl, von Beamten mitgetheilt, nach den Annalen der Braunschw. Lüneburg. Churlande.

w) C. B. Scharfs politischer Staat des Fürstenthums Braunschweig=Lüneburg. Einleit. S. 8.

x) Handschreiben des Amtmanns Meyer zu Meinersen vom 20. Jan. 1783.

y) H. C. Senkenbergii disqu. de fendis Brunsv. et Luneburg. Adj. pag. 15. Dieser Wela hat 1371 mit Margarethe von Bargfeld in der Ehe gelebt, nach einer alten Handschrift.

z) A. L. Jacobi, über das Alter und die Repräsentationseechte deutscher Landstände S. 23, in Bezug auf den Vergleich in originib. Guelficis IV. Praef pag. 54.

a) Aus einer ungedruckten Urkunde. [Die Fußnoten beginnen auf S. 18 wieder bei a, bei Manecke auf S. 246.]

b) Urk. in A. U. Eraths Nachrichten von den Erbtheilungen im Hause Braunschw. Lüneb. S. 40. 56. 63., S. auch Merians Topographie. Hoßmanns Regentensaal und Kochs ang. Geschichte S. 289.

c) Angezogenes Verzeichniß. Schade ist es, daß darin nur bemerkt wird, wie viel Jahre ein jeder Pfandinhaber, oder Hauptmann das Haus Meinersen innegehabt hat, nicht aber die Jahre, in welchen es von ihm besessen worden. Erst bei dem Hauptmann Aschen von Cramm wird angezogen, daß er 1539 verstorben sey. Dies Jahr ist nun dasjenige, worauf sich die oben in Klammern eingeschlossenen Jahre gründen.

d) C. B. Behrens in dem Stammtafel von dem Geschlechte von Saldern, im Anhange zur Beschreibung des adelichen Hauses der Herren von Steinberg S. 95. gedenkt zwar dieser Pfandschaft nicht, wohl aber geschieht ihrer Erwähnung in der Beschreibung der Hildesheimschen Stiftsfehde v. J. 1519, in Bilderbecks angez. Urkunden=Sammlung I. IV. S. 30.

e) Urk. in Eraths angez. Nachrichten 85. 87. 98. 115. und in Rehtmeiers angez. Chronica 977. S. auch H. Büntings Braunschw. Lüneb. Chronica 511. Hoßmanns Regentensaal 644. Merians angez. Topographie 155. Pfeffingers angez. Historie I. 563. Kochs angez. Geschichte 202.

f) Scharfs angez. politischer Staat S. 8. der Einl.

g) Handschreiben des Amtmanns Meyer zu Meinersen vom 20. Jan. 1783.

h) Angezogenes Verzeichniß.

i) Behrens angez. Beschreibung in der Stammtafel des Geschlechts von Cramm S. 68. Hier wird das Ableben des obigen Burchards erst ins Jahr 1344 gesetzt, des Asche aber gar nicht gedacht.

* Text originalgetreu übertragen von Matthias Blazek aus: Vaterländisches Archiv, Dritter Band, Hannover 1820, S. 239 ff.

* Der Zöllner zu Lüneburg Urban Friedrich Christoph Manecke verfasste das für die Heimatkunde unserer Gegend bedeutende Werk „Topographisch-historische Beschreibungen der Städte, Aemter und adelichen Gerichte im Fürstenthum Lüneburg" (zwei Bände, Celle 1858), in dem er u. a. die amtliche Zuordnung, Bevölkerungsmenge und Historisches der Dörfer mit Stand um das Jahr 1800 behandelte.

# Die Hinrichtungsstätte des Amtes Meinersen

Seit dem 14. Jahrhundert gehörte der Nordkreis Peine als Gogräfschaft Edemis-sen zum Herzogtum Lüneburg. Er bildete einen Teil des Amtes Meinersen und unterstand damit auch dem dort „gehegten" Gericht. Die Exekutionsstätte für an den Galgen durch Erhängen Verurteilte lag wenige hundert Meter nordöstlich von Ohof, das früher nur ein ganz kleines Heidedorf an der Heer- und Handels-straße von Braunschweig nach Celle war.

Bekannter als die Siedlung war einst die weite Ohofer Heide, die am Wege nach Seershausen in einige versprengte Dünenkuppen überging, die in der späten Eis-zeit durch die trocken gefallenen Talsande in den Strombetten der Uroker und Erse vom Wind aufgeweht worden waren. Der Galgenberg, ein kleiner Heide-hügel, lag in diesem Flugsandgebiet.

*Die Okerbrücke im Jahre 1910. Im Hintergrund (Mitte) ist das heute abgerissene Gebäude, in dem das Gefängnis untergebracht war. Ansichtskarten-Sammlung Horst Berner*

Weniger bekannt dürfte sein, dass die Oker, die unmittelbar an dem alten Mei-nerser Gerichtsgebäude vorbeifließt, manchem Verurteilten den Weg zum Gal-genberg bei Ohof „ersparte", jedenfalls bis ins 17. Jahrhundert hinein. Unge-mein hart war seit dem Mittelalter bis in diese Zeit die Rechtssprechung. Sie war ganz auf Wiedervergeltung und Abschreckung und nur in geringem Maße auch auf Erziehung und Besserung ausgerichtet. Hoch waren deshalb auch die vom Amt Meinersen verhängten Strafen.

Inwieweit die in alten Karten eingezeichneten „Gerichte" auch zwingend Richt-stätten waren, auf denen „arme Sünder" vom Leben zum Tod befördert wurden, ist nicht immer mit Bestimmtheit zu sagen, da die Quellenlage in Bezug auf die

Kriminaljustiz in den Ämtern allgemein recht spärlich ist. In Bezug auf Ohof ist die Aktenlage eindeutig.

Herzog Johann Friedrich war ein Mann von vierzig Jahren, als er – nach der Einigung vom 2./12. September 1665 – die Regierung des Fürstentums Calenberg antrat. Der am 25. April 1625 geborene Mann erließ in Hannover unter dem 18. Juni 1674 eine „erneuerte Amts-Ordnung", welche später auf Lüneburg, Lauenburg und Bremen-Verden ausgedehnt wurde. Sie war bereits unter Mitwirkung derjenigen Räte erlassen, die später unter Ernst August fungierten. Die von Ernst August selbst herrührende „Fernere Confirmation und Erläuterung der ... Ao. 1674 ergangenen Amts-Ordnung" vom 18. Mai 1683 enthält nur unwesentliche Zusätze.

Die obrigkeitliche Verwaltung, die bei dem Staatsmann und Gelehrten des 17. Jahrhunderts Veit Ludwig von Seckendorff, Fürstenstaat („Teutscher Fürsten-Stat"), Leipzig 1685 und öfter, S. 335 ff., gegenüber den Kammersachen im Vordergrund stand, erscheint in der Amtsordnung von 1674 als bloßes Anhängsel der in Kammersachen aufgehenden eigentlichen Amtstätigkeit.

Wurde doch die Gerichtsbarkeit erst ganz neuerdings von landesherrlichen Organen geübt, war sie doch nur Schritt für Schritt auf Behörden übertragen, die ursprünglich reine Verwaltungsbehörden gewesen waren, die höhere Gerichtsbarkeit von den ständischen Hofgerichten auf die Kanzleien, die niedere von den Land- und Gogerichten mit ihren Schöffen auf die Ämter. Erst aus dem Dreißigjährigen Krieg waren die Ämter als die ordentlichen Untergerichte des platten Landes hervorgegangen. Und diese Amtsgerichtsbarkeit beschränkte sich einerseits auf die unteren Klassen, anderseits auf Zivilsachen mit Einschluss der freiwilligen Gerichtsbarkeit, da in peinlichen Sachen nur die Justizkanzleien zur Urteilsfällung zuständig und sogar die an sich den Ämtern zustehende Instruktion in wichtigen Sachen an sich zu ziehen befugt waren. Die Amtsordnung beschränkte sich auf einige allgemeine Vorschriften (Art. 8–11). Sie schärfte den Beamten ein, die Justiz ohne Ansehen der Person zu administrieren, sodass der Arme sowohl wie der Reiche unparteiisch Recht zu genießen habe, auch die Amtsgebühr, deren Taxe in der Amtsstube auf einer Tabelle öffentlich anzuschlagen war, nicht zu steigern.[2]

Die erneuerte Amtsordnung blieb bis ins 19. Jahrhundert in Kraft.

Unter Kaiser Karl V. (1500-1558) wurde 1532 auf dem Reichstag zu Augsburg und Regensburg die peinliche Gerichtsordnung des Heiligen Römischen Reichs aufgestellt und beschlossen. In der so genannten „Constitutio Criminalis Carolina" (CCC) werden sieben Todesstrafen genannt, wobei es galt: je gemeiner das Verbrechen, desto härter und entehrender die Strafe. Anzumerken sei jedoch,

---

[2] Meier, Ernst von, Hannoversche Verfassungs- und Verwaltungsgeschichte 1680—1866, Leipzig 1898, Dritter Abschnitt, Die Lokalverwaltung, S. 311 ff. Zum Vergleich: Krieg, Martin, Die Entstehung und Entwicklung der Amtsbezirke im ehemaligen Fürstentum Lüneburg, Göttingen 1922, Neudruck Osnabrück 1975, S. 105.

dass es sich bei den nachstehend aufgeführten Strafen um Richtlinien handelt, sodass die tatsächlich verhängte Todesstrafe anders aussehen konnte.

1. Verbrennen: Mit dieser Strafe wurden Brandstifter, Hexen und Zauberer belegt.
2. Enthaupten: Diese Sühne traf Totschläger, Räuber, Landfriedensbrecher, Aufrührer, Notzüchter und Abtreiber.
3. Vierteilen: Diese Strafe galt Verrätern, wie z. B. dem Altonaer Mediziner und Geheimen Kabinettsminister Christians VII. Graf Johann Friedrich Struensee am 28. April 1772.
4. Rädern: Gerädert wurden Mörder und Giftmischer. Dies geschah in der Weise, dass dem auf ein an der Erde liegendes Andreaskreuz (X) gebundenen Sünder mittels eines schweren Eisenrades die Röhrenknochen in feststehender Reihenfolge zerstoßen wurden. Danach wurde der Körper auf ein Rad „geflochten" und, in der Feldmark aufgestellt, den Vögeln zum Fraß angeboten. Diese Art der Hinrichtung war seit dem 17. Jahrhundert nicht mehr üblich.
5. Hängen: Diese Strafe galt Einbrechern und Rückfalldieben.
6. Ertränken und
7. Lebendbegraben galt den Kindesmörderinnen.

Das Mitglied des historischen Vereins für Niedersachsen G. B. Schade, Braunschweig, erläuterte das Verfahren in peinlichen Fällen durch drei Sendschreiben des Herzogs Christian von Braunschweig-Lüneburg zu Celle an den Rat der Stadt Braunschweig.[3]

Nach dem Brief vom 24. Februar 1615 hatte der Rat der Stadt Braunschweig, auf Gesuch des Bischofs Christian von Minden, Gabriel Schulzen bereits in Haft genommen. Wegen dieser Verhaftung sollte Hermann Balthasar Clammer, Hauptmann zu Burgdorf, Kaution stellen, der Gefangene sollte nach Kaiser Karls V. Peinlichen Gerichtsordnung bestraft werden. Jedoch sollte der Gabriel Schulze mit den Gefangenen zur Neustadt zuvor konfrontiert, dem Amtmann zu Meinersen aber sollte der Gefangene gegen Revers überantwortet werden.

Aus dem Revers, datiert vom 25. Februar 1615, welchen der Amtmann zu Meinersen dem Rat gegen Aushändigung des Schulzen zustellte, ist zu ersehen, dass der Gefangene zu Neustadt am Rübenberge Johann Haustedt hieß und dass solcher im Jahre 1614 auf dem Hof zu Eilte einen Raub begangen, auch solchen bereits eingestanden und den besagten Schulzen, welcher damals (1615) als Reuter in Braunschweig fungiert hatte, als Mithelfer angezeigt hatte.

Wann auf der Hinrichtungsstätte am Weg von Seershausen nach Ohof die ersten Hinrichtungen erfolgten, lässt sich nicht mehr mit Bestimmtheit sagen. Es ist möglich, dass sich zuvor eine Richtstätte des ehemaligen Amtes Meinersen in der Gemarkung Ahnsen befunden hatte. Auf einer Flurkarte Ahnsens ist ein Ge-

---

[3] Vaterländisches Archiv des historischen Vereins für Niedersachsen, Hannover 1838, S. 414 ff.

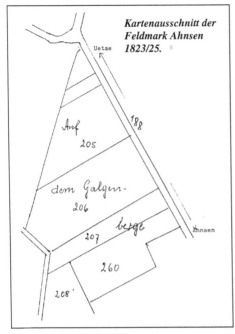

**Kartenausschnitt der Feldmark Ahnsen 1823/25.**

biet mit der Bezeichnung „Auf dem Galgenberge" eingezeichnet. Dies lässt den Schluss zu, dass auch dort öffentlich hingerichtet worden war.

Aufzeichnungen über Hinrichtungen gibt es erst ab 1597 von dem ehemaligen Amtmann zu Meinersen Otto Carl Niemeyer in seinem Buch „Ueber Criminal-Verbrechen, peinliche Strafen und deren Vollziehungen, besonders aus älteren Zeiten" (Lüneburg 1824). In den folgenden 20 Jahren verfielen auf dem Galgenberg 26 wegen Mordes, Raubes, Pferde- und anderer Diebstähle Verurteilte dem Richtschwert, dem Strick oder dem Rad. Eine geradezu erschreckende Zahl! „Spuren" eines drakonischen Richters? Niemeyer sagte zu Beginn: „Die Untersuchungsacten des sechszehnten und siebzehnten Jahrhunderts bezeichnen schon hinlänglich den rauhen Character der damaligen Zeit."

Otto Carl Niemeyer hatte sich bereits ein halbes Jahrzehnt vor der Drucklegung des für die Beschreibung der Kriminaljustiz im Fürstentum Lüneburg ausgesprochen wertvollen Buches intensiv mit den „im Amte Meinersen vorgefallenen Criminal-Vergehungen und peinlichen Strafen in älterer Zeit" befasst. Wenngleich zunächst festzustellen ist, dass die ihm vorliegende Aktensammlung als ein Glücksfall anzusehen ist, so muss doch betont werden, dass im Amt Meinersen mehr Hinrichtungen als anderswo im Lüneburgischen Todesurteile vollstreckt worden zu sein scheinen.

Niemeyers Buch wurde 1824 im Miniaturformat mit 159 Seiten aufgelegt. In der Ausgabe des „Zelleschen Anzeigers nebst Beiträgen" vom 8. September 1824 wurde in der „Literarischen Anzeige" angekündigt, dass bei Herold und Wahlstab in Lüneburg soeben dieses Buch erschienen und zum Preis von 8 Gutegroschen zu haben sei.

Ohne einen Hinweis im Inhaltsverzeichnis wurde Niemeyers gesamtes Werk originalgetreu als Anhang zum „Neuen vaterländischen Archiv oder Beiträge zur allseitigen Kenntniß des Königreichs Hannover wie es war und ist" aus dem Jahre 1824 abgedruckt und eingebunden. Ein Glücksfall für den Benutzer unserer Archive.

Abgesehen von dem Repertorium für die alte Registratur des Amtsgerichts Meinersen und den Akten zu den Fällen von 1800 und 1829 sind alle Aktenbestände durch Kriegseinwirkung im Jahre 1943 zerstört worden. Die Spurensuche muss vorlieb nehmen mit diesen Eckpfeilern, den Kirchenbüchern, den Mitteilungen in den „Hannoverischen Anzeigen" und einem Aufsatz von Dr. jur. Theodor Roscher.

Den frühesten Justizfall fand Amtmann Niemeyer für das Jahr 1536 belegt (S. 119): „Im Jahre 1536 konnte man die drey Wiedertäufer, Johann v. Leiden, Krechting und Knipperdolling zu Münster, zur Belustigung des Volks jeden eine volle Stunde mit glühenden Zangen immerwährend angreifen, bis endlich erst nach einer vollen Stunde der Henker den abscheulichen Qualen durch einen Dolchstoß in das Herz ein Ende machte."

Nach Niemeyers Buch wurden in der Zeit von 1597 bis 1617 auf dem Richtgelände bei Ohof elf Mörder enthauptet. Außerdem wurden 1609 bis 1617 auch noch vier Pferdediebe gehängt. Unter diesen war der berüchtigte Wedekind aus Eixe, der vier Menschen umgebracht und 35 Pferde, 18 Stück Hornvieh und 185 Schafe gestohlen hatte, ehe man ihn fasste und 1617 hängen konnte.

## Vom Leben des berüchtigten Pferdediebes Cordes

In früheren Jahrhunderten hat der Pferdediebstahl im gerichtlichen Leben mit die Hauptrolle gespielt. Für viele Männer wurde das Stehlen von Pferden zum Beruf. Drohende schwere Folterungen und die Todesstrafe konnten sie von ihrem Gewerbe nicht abschrecken.

Im 17. Jahrhundert muss die Zahl der nach Meinersen eingezogenen Pferdediebe besonders groß gewesen sein, da die aus jenem Jahrhundert noch aufbewahrten verhältnismäßig nur wenigen Akten schon beurkunden, dass bloß nach solchen 57 Delinquenten einzig wegen dieses Vergehens dort inhaftiert waren.

Unter diesen befand sich der berüchtigte Pferdedieb Heinrich Cordes, der im Amt Meinersen sein strafwürdiges Leben trieb. Für ihn war der Pferdediebstahl zu einer Leidenschaft geworden, der er sich trotz guter Vorsätze nicht zu widersetzen vermochte. Er wurde 1607 gefangen und dem Meinerser Gericht überführt, das ihm 43 Pferdediebstähle zuschrieb. 42 solcher Diebstähle hatte er bereits nach und nach glücklich in den Waldungen des alten Amtes Meinersen ausgeführt, bis er endlich gefasst werden konnte.

Als er sich wieder eines frühen Morgens aufmachte, um zwei junge Fuchs-Wallache zu stehlen, ereilte ihn das Missgeschick. Vergeblich versuchte er, der beiden Pferde habhaft zu werden. Durch das viele Umherlaufen im Holze bald hier-, bald dorthin, hatte er die Richtung schon verloren, als der Spätabend bereits eingetreten war. Cordes geriet, statt sich wieder zurechtzufinden, immer nur noch tiefer in den Wald hinein. Lange Zeit tappte er noch unter oftmaligem Fallen und fast immerwährendem Straucheln auf dem unebenen Boden im Dunkeln umher, bis dass er endlich auf einen gebahnten Fahrweg stieß, welcher ihn aus dem Wald auf ein weites, in der damaligen Nacht indes ganz unbekanntes Feld führte.

So sehr der kalte Wind ihn hier auf dem freien Raum in seiner leichten und hochauf mit Bruchwasser bespritzten Kleidung auch durchzog, so ging er dennoch seinen Weg immer weiter fort, bis er vor Kälte, Hunger und Entkräftung gänzlich erschöpft niederfiel. Schon seit einigen Stunden hatte er einen heftigen Schmerzen in seinen Gliedern verspürt, der auf dem feuchten Lager nun immer mehr zunahm. In dieser schmerzhaften und elenden Lage dachte er zum ersten Mal über sein verbrecherisches Handwerk nach.

Er sah klar ein, dass er von allen seinen sämtlich so glücklich ausgeführten Diebstählen doch nicht mehr viel übrig habe, wie der ehrliche Tagelöhner von seinem rechtlichen Verdienst. Jetzt verfluchte er sein schändliches Handwerk und schwur, nie wieder Diebeswege zu beschreiten. Völlig unbekannt, an welchem Orte er sich eigentlich befand, beschloss er, bis zum kommenden Morgen in dem Dickicht des Waldes wieder Schutz zu suchen, als auf das Ungewisse weiter in das freie Feld zu gehen.

Während sich Cordes, vor Schmerzen angetrieben, mehrmals aufraffte, aber vor Ermattung jedes Mal wieder zu Boden sank, beleuchtete der dann und wann hinter den Wolken schon hervortretende Mond das Feld und ließ ihn nicht weit vom Wege eine in Hürden liegende Schafherde wahrnehmen, bei deren Anblick ihm das Lager des Schäfers in der daneben stehenden Schäferkarre so beneidenswert schien, als ihm hierbei der Umstand, dass kein Hund bellte, besonders auffiel. Auf sein mehrmaliges Rufen und Pfeifen antwortete kein Hund, welches ihm dann der sicherste Beweis war, dass die Herde unbewacht war. Seine letzten Kräfte nahm er zusammen und bestieg die mit Mühe erreichte leer stehende, mit Stroh gefüllte warme Karre, freilich nicht ohne Besorgnis, dass der Schäfer ihn am anderen Morgen darin noch schlafend vorfinden werde und ihn als unberufenen Wächter sehr unhöflich herausziehen werde.

Bald nach Sonnenaufgang wurde er auch wirklich von einem leisen Getrippel eines Menschen aus seinem süßen Schlaf geweckt. Höchst ängstlich sah er sogleich durch die Fugen der Tür, aber statt des so gefürchteten Schäfers erblickte er einen kleinen Knaben, welcher aus einem großen Sack blutige Schafsköpfe und Beine schüttete und solche ängstlich neben den Hürden umher streute.

Neugierig schlich sich Cordes unbemerkt näher heran und brachte bei dem durch seine plötzliche Erscheinung erschreckten Knaben das Geständnis heraus, dass dieser am Abend vorher die Abwesenheit des Schäfers benutzt hatte, um mit vieler Mühe drei Hammel aus den Hürden zu bringen und einer Zigeunerfamilie zuzuführen. Neben dem Kaufgeld hatte er sich besonders die Köpfe und etwas blutige Wolle zurückgeben lassen, um durch das jetzige Herumstreuen den Schäfer in den Glauben zu bringen, dass nicht Menschen, „sondern blos Unthiere an dieser Verwüstung Schuld seyn müßten". Kaum lächelte Cordes hierüber, als der schlaue Kleine sogleich weiter erzählte, dass er dies Stück bereits seit Jahr und Tag in der Runde herum gespielt und mehrere Schäfer auf diese

Weise getäuscht habe, welche der Sache gar nicht weiter nachgeforscht, sondern jedes Mal nur sehr grimmig auf die Wölfe geflucht hätten.[4]

Augenblicklich war der Schwur der Nacht vergessen, und der alte Cordes wurde durch diesen Vorgang von neuem zur Fortsetzung der Pferdediebstähle wieder belebt. Sogleich teilte er dem Kleinen seine Absicht mit, und dieser fand sich dann durch solches Zutrauen so sehr geehrt, dass er nicht nur am Nachmittag den Stand der beiden Pferde ausfindig machte, sondern dieselben auch in der nächsten Nacht beim Mondenschein auf eine enge eingefriedigte Wiese trieb, von welcher sie dann die beiden neuen Freunde schon um zwei Uhr abholten und auf den geraubten Pferden freudig wegtrabten. Hänschen hatte sich auf dem spitzen Rücken des ungesattelten Pferdes bald wund geritten, und so ging es nur langsam im Schritt weiter. Mehrere Stunden später, wie man gehofft hatte, erreichte man erst das Mehrumsche Feld, und statt der ländlichen Stille eines frühen Morgens hörte man schon laut Wagen fahren und das Geschrei von Vieh und Kindern auf der Straße.

In Mehrum war der alte Pferdedieb (Cordes) sehr gut bekannt, aber nicht von der besten Seite. Deshalb hielt er es für ratsam, in einiger Entfernung vom Dorfe abzusteigen und seinen kleinen Gehilfen nur allein in ein vertrautes Haus zu schicken, wo man die Pferde füttern und ausruhen lassen wollte, wogegen er selbst sich schüchtern um das Dorf schlich und durch Gärten und heimliche Schleichwege ungesehen in ein Haus seines Freundes ankam.

Trotz der genauen Bezeichnung des angewiesenen Hauses hatte Hänschen dasselbe verwechselt, aber aus einigen an ihn gerichteten Fragen bald bemerkt, dass er hier verkehrt gekommen sei. In größter Eile lief er daher wieder seiner Heimat zu, ließ sowohl die Pferde als auch Cordes im Stich.

Die von letzterem ausgesandten Kinder seines Gastfreundes hatten den verschwundenen kleinen Reiter vergeblich aufgesucht, inzwischen auch den Stall ausfindig gemacht, wo die Pferde standen. Nun schlich sich Cordes in denselben, aber eben im Begriff, dieselben leise herauszuführen, wurde er von deren Besitzer mit Hilfe anderer ergriffen, einstweilen in einen Keller eingesperrt und am Nachmittag ohne weitere Umstände ausgeliefert.

Acht Tage später überstand er zu Meinersen zwar die Folter, einige Tage später ließ er sich indes morgens zum Verhör melden, bekannte unaufgefordert 22 von ihm ganz allein ausgeführte Pferdediebstähle und versprach noch, dass man am Nachmittag noch Wunderdinge von ihm hören werde, sofern er noch einige Stunden zum besseren Nachdenken Ruhe hätte und man ihm zur Geistesstärkung eine Bouteille Wein schenken wolle. Gleich nach dem ausgeleerten Wein

---

[4] Der Knabe kam aus Eixe und hieß Hanschen (Hänschen) Wedekind. In seinem späteren Verhör gab er an, dass ihn Cordes „durch allerlei Schmeicheleien verführt" und ihm unter anderem gesagt habe, dass er gar so dumm nicht sei, wie er aussehe, „und daß aus ihm ein strever Hacke ziersahmlich hervorwachse, welcher sich ohne Windschief zu werden, frühzeitig krümme".

hatte er den übrigen 21 Untersuchungen, in welchen seine Freunde und Verwandten verwickelt waren, schon durch Selbstmord ein Ende bereitet.

An der Wand fand man folgenden Vers von ihm geschrieben:

*Veddern, Frünne alltohoop*
*nißt help eck jöck noch uter Noth*
*und gahe hüde vör jöck in den bidderen Tod*
*will ii noch ein ehrlich Graff*
*so latet von den stehlen aff*
*süßten wördet bei Raben und bei Kreihen*
*an juhen Deibesknoken herumme hacken und kleihen*
*unnern Galgen und up den Ratt*
*so wiße alse dat Water iß natt.*
                                        *Amen.*

Diese Warnung wurde zwar sofort an zwei Kirchtüren angeschlagen, wohl deswegen, weil Cordes ausdrücklich gedroht hatte, dass er im Nichtanschlagungsfall mehreren Personen, namentlich dem Amtmann als auch insbesondere dessen Ehehälfte, Nacht für Nacht gräulich erscheinen würde. Indes machte dieser Anschlag auf seine Freunde wie auf Hänschen keinen Eindruck: Es wurde immer weiter gestohlen.[5]

Im Jahre 1602 wurde Berward Kemner wegen Brudermordes enthauptet. Das gleiche Schicksal ereilte Georg Knebel sechs Jahre später für die Ermordung seiner Ehefrau. In beiden Fällen traten zwar erhebliche Milderungsgründe ein, da aber hier der Totschlag gegen einen Bruder und gegen die Ehefrau des Mörders ausgeführt war, so fiel doch das Urteil dahin aus, dass zwar eigentlich auf die Strafe des Rades erkannt werden müsse, dass aber wegen eingetretener Milderungsgründe dagegen Gnade für Recht ergehe und der Mörder nur mit dem Schwert hingerichtet und sein Körper danach auf das Rad geflochten werden sollte.

Der Fall des Knebel verdient noch einer näheren Beschreibung. Wie Amtmann Niemeyer feststellte, war dieser Knebel „einer der gutmüthigsten Menschen", ein zärtlicher Ehemann und Vater, und besonders dabei ein fleißiger treuer Arbeiter, aber alles dieses auch nur des Alltags. Am Sonntag war er dagegen, nach seiner eigenen Aussage, gleichsam „vom Satan besessen, und es ihm ganz unmöglich, einen solchen Tag ohne die dümmsten, wildesten Streiche hinzubringen".

Hatte er dann alle Anordnungen Anderer abbestellt und glücklich alles in die gehörige Verwirrung gebracht oder hatte er die besten Freunde gegeneinander aufgehetzt, so ging er vergnügt in einem halben Rausch nach Hause. Lief dage-

---

[5] Niemeyer, Otto Carl, Ueber Criminal-Verbrechen, peinliche Strafen, und deren Vollziehungen, besonders aus älteren Zeiten / aus den Criminal-Acten des Königl. Hannov. Amts Meinersen größtentheils gesammelt, Lüneburg 1824, S. 8 ff. Aufgegriffen von: Heuer, Adolf, Seershausen, Aus dem Leben des berüchtigten Pferdediebes Cordes, Der Sachsenspiegel, Nr. 3, Cellesche Zeitung vom 16. April 1938.

gen alles in Ordnung ab, dann fing er Streit an und hörte nicht eher auf, Unfug zu machen, bis er entweder besoffen nach Hause getragen oder als ein wütender Mensch in einen Stall gesperrt und durch Branntwein eingeschläfert wurde.

Als damaliger Ausschösser (Landsoldat) lag ihm gerade die Pflicht ob, alle Sonntage sich in Waffen gemeinschaftlich zu üben, und selbst auch auf dem Übungsplatz brachte er dann in seinem Rausch durch allerlei Torheiten sehr bald die ganze Mannschaft zum Lachen und dabei dergestalt in Verwirrung, dass mit jedem Sonntag nachmittags sein Rücken aufs Neue von farbigen Streifen und Schwülen wieder befleckt wurde, ehe noch die alten Spuren verwischt waren.

Eines Tages war er besonders hart mitgenommen, und da er wegen der erlittenen Korrektion in der ganzen Woche nicht auf dem Rücken liegen konnte, flehte er am nächsten Sonntagmorgen seine Frau, eines Predigers Tochter aus Wismar, wo er früher Gärtner gewesen war, an, ihm keinesfalls Branntwein zu geben. Er schwor hoch und teuer, sie keineswegs misshandeln zu wollen, wenn sie ihm das Getränk vorenthalten würde. Kaum hatte die Glocke aber 12 Uhr geschlagen, da verlangte er nach Branntwein. Als sie ihn an sein Versprechen erinnerte, wurde sie sofort misshandelt.

Sie holte sogleich nur eine kleine Portion und ersetzte durch das Wasser das Fehlende. Aber schnell bemerkte der wütende Mann die stattgefundene Taufe, worauf er seine Frau erneut und schlimmer misshandelte. Nun musste also unverfälschte Ware herangeholt werden, und während der Zeit, als der tobende und schimpfende Mann diese nach und nach austrank, heftete die zerschlagene Frau das mittlerweile aus dem Nachbarhaus geholte Sattelfell sehr künstlich unter die Montur in der Hoffnung, dass die noch zu erwartenden Hiebe darauf abprellten.

Der durch den Trunk und vom Schlagen und Toben ganz in Schweiß geratene Mann fühlte sich nun noch heißer in seiner ihm ohnehin unbehaglichen Uniform, und wie er sie sich vom Leib riss, fühlte er sich durch die ihm bewiesene Aufmerksamkeit doppelt beleidigt und fiel mit neuer Wut über das brave Weib her.

Endlich verließ er das Haus und ging fluchend mit unterwegs gerissenem Fell fort, aber unglücklicherweise bemerkte seine Frau das vergessene Gewehr. Eilig lief sie ihm nach und konnte, außer Atem gekommen, noch nicht den Grund ihres Nachlaufens angeben, als der berauschte Mann schon seinen Säbel zog und in dem Wahn, dass die Frau ihn ermorden wollte, derselben gleich solche tödlichen Hiebe versetzte, dass sie in wenigen Minuten tot auf der Stelle in ihrem Blut liegen blieb.

Elf Tage nach der Tat hing schon der auf das Rad geflochtene Körper des Mannes über der Stelle, an der die Tat geschehen war.

Die älteste Tochter, ein zartes Geschöpf von 12 Jahren, starb zwei Stunden nach der Hinrichtung ihres Vaters in Verzuckungen, und einige Tage darauf verschwand das noch einzige übrige Kind, ein Knabe von zehn Jahren, der sich nun wahrscheinlich einer gerade herumziehenden Zigeunerfamilie angeschlossen hatte. „Kaum war er nämlich mit solcher in das Wort gekommen, als er zu andern Knaben geäußert hatte, daß es ihm gegenwärtig gänzlich unmöglich sey, noch länger in einer Gegend zu leben, in welcher er auf die grauenvollste Weise seinen Vater, seine Mutter und seine Schwester in 11 Tagen verloren habe, und in der, blos den Kindern zum Schimpf und Schrecken, der Vater zur Schau auf dem Rade ausgestellt sey."

Ein Mann namens Dittmar Schlintholz hatte die Landesverweisung gebrochen und einige Taschentücher gestohlen. Er wurde 1608 geköpft.

Die Menge der von Tag zu Tag sich immer mehr anhäufenden Gräuel nahm so sehr zu, dass man den Pferdediebstahl damals nur für unbedeutend hielt und halten musste. Amtmann Niemeyer schrieb: „So waren denn z. B. früher, nämlich im Jahre 1608, hieselbst Thör wegen 24, und Neuer im Jahre 1609 wegen 17, Rampage im Jahre 1616 wegen 4, Ebeling im Jahre 1617 wegen 24, und Wedekind wegen 35 entwandter Pferde hingerichtet. Dagegen wurden von 1618 angerechnet bis zum Jahre 1668, so viel die jetzt noch vorhandenen Acten ergeben, durchaus keine Todesstrafen wegen bloßer Pferdedieberey allhier vollzogen, und in jenem Jahre 1668 kam zuerst wieder bey Brakenhof und Behrens die Todesstrafe zur Vollziehung, welcher sodann noch viele anderweit nachfolgten. [Fußnote:] Ein Bruder jenes Rampage hatte in Gemeinschaft mit dem oben erwähnten Wedekind unter andern auch 4 Pferde in hiesigem Amte entwandt. Von dem Magistrate zu Braunschweig wurde er wegen mehrerer dort neu begangener Diebstähle eingezogen und aufgehangen."

1615 wurden auf dem Hochgericht bei Ohof zwei Straßenräuber durch das Rad gerichtet, welche auf keine Weise zur Wiederbeschaffung einer geraubten, sehr kostbaren Kiste beigetragen hatten. Zu lesen ist:

„Noch in der Stunde ihrer Hinrichtung wandten die Prediger zwar alles an, sie zu Herausgabe jener Sachen, die ihnen im Tode doch nichts mehr nützen könnten, zu bewegen; allein beide erklärten, daß sie die fehlenden Sachen nicht wüßten, und forderten auf den Fall, daß sie etwas noch verheimlicht haben sollten, hiemit den Teufel auf, sie so lange, wie sie mit Haut noch umgeben wären, auf dem Rade zu ängstigen und zu plagen, bis sie selbst noch im Tode den Raub wieder an den Platz geschafft haben würden!

Durchgehends glaubte man dem ohngeachtet, daß sie dennoch jenes Kästchen auf dem Raubplatze wirklich eingescharrt hätten. Der Sage nach hatten sie wegen ihrer Verheißung jetzt selbst im Tode keine Ruhe mehr, und wollten selbst daher den Raub noch zu Tage fördern.

So lange wie sie also noch würklich mit Haut umgeben waren, fingen die Glieder der Hingerichteten, so bald der Abendstern blinkte, noch langsam an zu zucken. Immer späterhin nahmen die Bewegungen bedeutend zu, und gegen 12 Uhr wurde das Kettengerassel so laut, daß man es in Ohoff und Seershausen deutlich hören konnte."

1616: „In der Mitte des Decembers 1616 hatte derselbe (der Straßenräuber Grone) aus Wolfenbüttel selbst die Nachricht bekommen, daß ein dortiger Factor mit vielem Gelde zu Pferde nach Celle reisen wollte." Grone lauerte ihm mit zwei Gesellen an der Braunschweiger Straße im Gehölz auf. In einem herankommenden Reiter vermuteten sie den Geldträger und versetzten ihm Keulenschläge, sodass er vom Pferd stürzt. Ein Irrtum! Ein Mittelloser war es! Aus Wut erschlugen sie den Gestürzten. Ein Jahr darauf wurde Grone gefasst. Er endete am 14. September 1617 unter den Ohofer Bäumen.

Unterm 6. Februar 1619 wurde ein vorsätzlicher Mörder nur des Landes verwiesen und ihm bald darauf gegen das bloße Versprechen, eine Geldbuße von 20 Talern zu erlegen, der Eintritt in das Land wieder gestattet. Zu gleicher Zeit wurde der vorsätzliche Mörder Gieseke, weil er sich mit der Familie des Entleibten ausgesöhnt hatte, nach abgelegter Kirchenbuße auf freien Fuß gesetzt, so wie denn noch im Jahre 1637 ein ähnlicher inhaftierter Mörder gegen Bezahlung von 30 Talern 12 Mariengroschen seine völlige Freiheit wieder erhielt.

*Diese Hinrichtung hat die Menschen auch im Amt Meinersen bewegt. Im Chronicon Obershagense, in „Hermanni Löhners Zeit", verlautet über die Hinrichtung von Joachim Hasenbart am 21. März 1679: „Den 21. ten Marty wurde eine Mannsperson, so seine frau und tochter ermordet, und mit einer andern huren davon ziehen wollen, vor Zelle gerichtet. Erstlich ward er mit glüenden Zangen im rechten arm, hernach in der lincken Brust gerissen, und lezlich mit dem Rad gestossen, und bey Woldhusen auff das Rad gelegt."*

Seine Ausführungen über den Straßenräuber Grone beschloss der Amtmann Niemeyer mit folgenden Worten: „So fielen an allen Seiten der hiesigen Gegend immer mehrere Opfer, bis endlich zu Ostern 1621 die befragliche, im Amte Meinersen und Peine zerstreut sich aufhaltende, Bande einen solchen Verlust erlitt, welcher bald glücklicherweise deren gänzliche Auflösung nach sich zog."

Zwei Boten waren nämlich von einem Juden aus Peine nach Hildesheim und von dort ab weiter in das Amt Steinbrück gesandt worden, „um einige Geld-Pöste, namentlich aus Hildesheim, 85 Thlr. abzuholen". Dies wurde verraten, und die Räuber lauerten an mehreren Stellen vor Peine auf die Rückkehrer. Erst kam ein Landmann aus dem Braunschweigischen nahe einer Mühle vorbei, in den Akten die Hollandsmühle genannt. Schon zerschmetterte ihm eine Flintenkugel das Rückgrat. Er war aber keiner der Gesuchten. Andere der Bande lagerten am selben Tag am Soßmarer Holz. Als sich ein Peiner Bürger namens Dirsing näherte, erhielt er nicht nur einen Schuss ins Oberbein, sondern auch schwere Stiche. Statt der erhofften vielen Taler hatte der Tote in seiner Trage jedoch nur Fische für die Fastenzeit. Die gesuchten Boten aber kamen durch. Bald wurden in Rietze und Stederdorf vier beteiligte Banditen ergriffen, darunter die berüchtigten Straßenräuber Landsberg, Korbmacher und Gillien. Sie wurden gleich anfangs auf die Folter gezerrt und durch das Rad gerichtet. Davor wurden sie noch mit glühenden Zangen in Ohof gezwickt.

Nach dem Dreißigjährigen Krieg wurden bis 1829 noch über 50 Verbrecher vom Amt Meinersen zum Tode verurteilt und hingerichtet. Unter diesen waren auch einige Frauen, von denen die meisten in der Oker ertränkt wurden.

„Selbst im Jahre 1695 ist es daher noch keineswegs auffallend, daß nach einer am 25. Juny zu Uetze begangenen Mordthat das zweyte bestätigende Urtheil schon am 3. des folgenden Monats hier wieder einläuft. Das erste Todesurtheil war dahin beschränkt, daß man den vestrickten Thäter noch einmal mit seinen besondern Entschuldigungen hören, und dann, wenn er erheblich weiter nichts vorbringen würde, möglichst am nächsten Freytage (6. July) nur – ihm das Haupt abschlagen lassen solle."

„Blos über Entwendungen sind hier unter andern seit 1703 bis 1822 bereits 342 Special-Untersuchungen geführt."

„Auch gegen Ende des siebzehnten Jahrhunderts fielen, wie im ganzen Lande auch namentlich in hiesiger Gegend, so viele Pferdediebstähle vor, daß im Jahre 1708 eine Verordnung erschien, welche auf den Pferdediebstahl die Todesstrafe bestimmte. Aber dieses scharfen Strafgesetzes ohngeachtet bestand die Mehrzahl der hier in jenem Jahrhunderte Hingerichteten noch immer aus Pferdedieben, und den Beschluß von solchen machte der im Jahre 1800 hier mit dem Strange bestrafte Wittnebe, welcher aller Wahrscheinlichkeit nach zwar 17 Pferde gestohlen hatte, allein der wirklichen Entwendung von 11 Stück nur überführt werden konnte."[6]

Die Pferdediebe Ernst Wilhelm Wicke und Christoph Brause – beide hatten Weib und Kind und kamen aus Quedlinburg – wurden am 3. Januar 1709 in Meinersen bzw. am 4. Januar in Gifhorn erhängt.[7]

Der Pferdediebstahl wurde deshalb so schwer bestraft, weil das Pferd für die Bauern lebensnotwendig war. Da die armen Bauern nicht genug Futter für die Pferde das ganze Jahr über hatten, ließen sie ihre Pferde im Winter frei laufen. So war es nicht schwer, ein Pferd zu stehlen und damit über die Amtsgrenze zu verschwinden, wo man es dann ungestraft verkaufen konnte.

Am 20. Mai 1719 wurde in Eltze ein kleines Kind beerdigt, das von seiner Mutter erwürgt worden war. Es wurde gefunden, „den Mund mit Moos und Blättern verstopfet, einen Arm in partu [teils] abgeschnitten und also redlich ersticket oder sich tot geblutet und bei Blumenhagen in die Erde verscharret. Dessen abgeschnittenen Arm aber des folgenden Tages der Viehhirte gefunden und angemeldet. Die Delinquentin hat stracks factu bekannt und ist in der Bath-Weide

---

[6] Nds. HptStA Hann. 72 Meinersen Nr. 218/1: Kriminalia wider Johann Conrad Witneben aus Behrenbostel wegen siebenmaligen Pferdediebstahls. Strafe der Strang, 1800.
[7] Stadtarchiv Celle N6 16 (Nachlass Clemens Cassel).

ertranket. Hat sich aber wohl bereitet und ist zu jedermanns Verwunderung sehr freudig zum Tode gegangen."

Bei den Strafen sah man bloß auf das Faktum und erkannte dann gewöhnlich die in der peinlichen Halsgerichtsordnung bestimmte Strafe. Auf die Erziehung, auf die Gemütsstimmung des Täters bei einem begangenen Mord oder auf andere Umstände achtete man nicht bedeutend. In einigen Akten ist das Faktum kurz zu Protokoll genommen worden, oft auch nur in dem Amtsbericht vorgetragen, der Täter sofort verhört und bei dessen Eingeständnis, welches gewöhnlich ganz kurz gefasst wurde, das Urteil dahin abgegeben: dass man dem Täter am dritten Tage darauf den Kopf nur abschlagen möge, insofern er keine gegründeten Einwendungen vorbringen sollte.

Besonders auffallend ist die hier aufgeführte Bestrafung zweier Schwermütigen. Der eine von ihnen war Hans Kobbe. Er sah in seiner traurigen kränklichen Gemütsstimmung schon jeden Menschen mit trüben Blicken an. Eine geringe Kleinigkeit konnte nur hinzutreten, und dann hatte er schon gegen irgendeinen seiner Mitmenschen auf kürzere oder längere Zeit den unversöhnlichsten Groll.

Das Interesse leitet einmal bekanntlich in der Hauptsache immer den gewöhnlichen Menschen, und nur ein kleinlicher Brotneid brachte auch hier den besagten Kobbe gegen einen Mann schon so unerhört auf, welcher bloß „kurze Waare" herumtrug und diese zu einem etwas geringeren Preise, wie er, ausbot. Kobbe, in der unrichtigen Meinung, dass alles nur ihm zum Hasse geschehe, geriet mit diesem Warenträger bald in Streit und glaubte in seiner Wut sich nicht stärker an seinem Gegner rächen zu können, als dass er – man schreibe neun Stunden nach dem Streit – noch dessen einziges unaussprechlich geliebtes Kind in der Wiege ermordete. Das war am 8. Juni 1738.

Der Täter versicherte in seiner Vernehmung, dass ihn nicht 30 bewaffnete Männer von der Tat hätten abhalten können.

Nach der Tat überfiel ihn sogleich Reue, und mit der größten Sehnsucht seufzte er nach der Stunde der Hinrichtung. Seine unaufhörlichen Gewissensbisse, die Gefangenluft, sein Alleinsitzen erhöhten stark seinen Gemütszustand, zumal schlaflose Nächte und die grässlichsten Träume hinzutraten. Schon am hellen Tage, sobald er allein war, hatte er die fürchterlichsten Visionen, in welchen ihm das ermordete Kind bald in der Gestalt, wie es lächelnd in der Wiege lag, und in der Person des Mörders seinen Vater zu erblicken hoffte, vor Augen trat, sich aber bald wieder in dem Zustand darstellte, wie es sich einige Augenblicke nach dem tödlichen Stich in seinen letzten Verzerrungen wild umher sah.

Wiederholt äußerte er, dass die Qualen der Hölle nicht furchtbarer als die vielen Tage seiner in Meinersen verlebten Gefangenschaft sein könnten und dass er nur einen Selbstmord aus dem Grunde gegenwärtig verabscheut habe, um vielleicht wegen der ausgestandenen unbeschreiblichen Qualen dort oben eher Vergebung hoffen zu dürfen.

Durch die gut gemeinte Absicht des Verteidigers erfolgte Kobbes Hinrichtung erst spät, nämlich im Dezember 1738.

Am 29. Oktober 1745 wurde die Diebin Sophia Amalia Koch bei Ohof hinge-richtet. „Sie stammt aus der Wolfenbütteler Gegend, wo sie schon dreimal mit dem ‚Staupen-Schlage' bestraft wurde. In Peine ist sie wieder rückfällig gewor-den und bei Abbensen gefaßt. Sie wurde durch den Strang ins Jenseits beför-dert."

## Der Fall der Catharina Dammann aus Hänigsen

Im Jahre 1746 stand eine noch junge schöne Schustersfrau, Catharina Dam-mann, auf der Richtstätte. Catharina Margaretha Beinsen wurde am 29. Dezem-ber 1715 in Obershagen geboren. Im Kirchenbuch heißt es auf Seite 129 (Stem-pelaufdruck 75): „d. 29 Decembr. ist Thile Beinsen ein junges Töchterlein geb-ohren, welches in festo circumcisionis et novennis 1716 getaufft und benandt Catharina Margareta. Gevatterinnen waren 1) Hans Möhlen hiesigen Schneiders Frau 2) Catharina Beinsen filia Claus Beinsen, 3) Dorothea Raupers filia Hen-ning Raupers."

Das Mädchen verbrachte in Obershagen ihre Kindheit und wurde in der Kirche St. Nicolai konfirmiert. Als Catharinas Vater, Tiele Beinsen, starb, heiratete sei-ne Witwe nach Hänigsen zu Hans Echte und nahm Catharina mit.

Die junge Frau – Catharina war inzwischen 28 Jahre alt geworden – wurde 1744 in Hänigsen dem Burgdorfer Schuster Johann Ludolf Dammann angetraut, was sich alsbald als schlimmer Missgriff erwies, denn Dammann entpuppte sich als ein ganz übles Subjekt, herrisch, gewalttätig und dem Suff ergeben. Mehrfach wurde sie von ihrem Mann stark misshandelt, täglich musste sie die härtesten Drohungen hören, falls sie nicht ihren rückständigen Brautschatz anschaffen werde.

Eines Tages, als es wieder einmal eine ganz böse Szene im Schusterhause gege-ben hatte, lief die verängstigte Frau nach Hänigsen und bat ihren Stiefvater in-ständig um eine einstweilige Abschlagszahlung von sechs Talern auf ihren Brautschatz. Hans Echte wollte oder konnte aber im Augenblick ihrem Wunsche nicht entsprechen.

Die völlig verzweifelte Frau traute sich jedoch mit leeren Taschen nicht nach Hause. In ihrer Seelennot verfiel sie auf einen etwas verwegenen Ausweg. Sie nahm aus des Vaters Hause eine Trense (leichter Pferdezaum) und schlich sich damit ins Holz, wo sie des Stiefvaters Pferd vermutete. Sie gedachte es zu fan-gen, zu verkaufen und sich den Erlös als Teil ihres Brautschatzes anrechnen zu lassen. So sehr sie aber im Holz suchte, des Stiefvaters Pferd war nicht unter denen, die sie entdeckte. Verzweifelt vor sich hinschluchzend verbrachte die verstörte Frau eine ganze Nacht in Angst im Hänigser Bruch. Am nächsten Morgen liefen ihr zwei fremde Pferde über den Weg, von denen sie das eine ein-fing und in Verzweiflung beinahe drei Meilen davonritt.

„Kaum hatte der unordentliche Mann das aus 5 Thlr. 18 Mgr. bestehende Kauf-geld herdurch gebracht, und dabey stets über die nur abgelieferte kleine Summe geschimpft, so war die Sache schon entdeckt und die Thäterinn eingezogen."

34

Bereitwillig erzählte die Schustersfrau, die noch nie in ihrem Leben etwas Verbotenes getan hatte, ihre ganze traurige Geschichte. Wahrscheinlich überschaute sie überhaupt nicht die Tragweite ihres begangenen Frevels, zumal in dieser Gegend, wo das Vieh den Haupterwerbszweig des Bauernstandes ausmachte und Viehdieben demzufolge die Höchststrafe drohte.

Die ertappte Diebin wurde nach Meinersen ins Gefängnis gebracht, wo ihr auch der Prozess gemacht wurde. Frau Dammann war voll geständig, reumütig und todunglücklich. Nun hätte man wohl sehr leicht ihren Mann, den Säufer und Schläger, als den eigentlichen Urheber der Tragödie ausmachen können. Doch offenbar hielt man damals in den Gerichtsverhandlungen noch nicht viel von der Psychologie, denn man sprach der Frau die Alleinverantwortung zu und verurteilte sie zum Tode durch den Strang.

Das Urteil wurde jedoch in die Gnade des Landesherrn gestellt. Der aber wich in unserem Fall nicht vom geltenden Recht ab und bestätigte das Urteil, entzog die Delinquentin aber dem Henker und überantwortete sie stattdessen dem Scharfrichter, der die Pferdediebin 1746 in Meinersen enthauptete.

Otto Carl Niemeyer berichtete in seinem Buch „Ueber Criminal-Verbrechen, peinliche Strafen und deren Vollziehung, besonders aus älteren Zeiten" über die Urteilsverkündung im Fall der „noch jungen schönen Schustersfrau": „Wegen der auffälligen Milderungsgründe scheint sie der Gnade des Königs zwar empfohlen zu seyn; aber Georg der Andere bestätigte nach Englischer Gewohnheit den einmal zu deutlichen Buchstaben des Gesetzes, und die einzige Gnade, die man für sie eintreten ließ, bestand darin, daß man die Strafe des Stranges in die des Schwerdtes noch verwandelte."[8]

Wie abgestumpft durch häufige Straftaten die Zeit gewesen ist, wird aus einer Niederschrift von 1746 deutlich: „Eine Herumtreiberin namens Christina Beinsen, hat versucht, ein Pferd von einer Weide wegzuführen, um es in Gifhorn zu verkaufen. Sie wird gefaßt, sitzt zwei Jahre im Meinerser Gefängnis und wird am 8. Juli 1746, 27 Jahre alt, bei Ohof enthauptet. Da Meinersen keinen Scharfrichter hat, kommt meist einer aus Braunschweig. Diesmal macht es ein neuer, der junge Funke aus Uetze. Er macht damit sein Meisterstück."

Nachrichter Funke aus Uetze scheint seine Sache, sein „Meisterstück", gut gemacht zu haben, wie in einem Schreiben vom 5. Mai 1747 deutlich gemacht wird: „... des Nachrichters Johann Christoph Funcken ... und da er die an der hieselbst unter d. 8ten Jul: 1746 mit dem Schwerthe justificirten Cathrine Beinsen, mit Ew p gnädiger Bewilligung unternommenen execution glücklich verrichtet, anbefohlen haben, nunmehro eine forml: conceshion über solche Abdecker und Nachrichter Arbeit herbey zu bringen. (...)"[9]

---

[8] Niemeyer, a. a. O., S. 23 ff.
[9] Nds. HptStA Hann. 74 Meinersen Nr. 1179: Nachrichtersachen (Konzessionen, Rekognitionen, Rechte, Pflichten), 1650-1831.

1760 brach eine Bande in das Pastorenhaus in Päse ein. „12 bis 15 Räuber sprengen die Hausthür auf einmal des Nachts aus den Angeln, während welcher Zeit zwey andere Abtheilungen die beiden Seitenthüren besetzten.

Das wach gewordene, herzugelaufene Hausgesinde wird sofort schrecklich geknebelt, und der aufgeschreckte Prediger hat kaum so viel Zeit, aus dem Kammerfenster in den Garten, und von hier in eine Wiese zu entkommen, um aus dem ihm zunächst belegenen Dorfe Höfen Hülfe zu rufen." Unter Androhung schrecklicher Martern wurde er gezwungen, seine Kostbarkeiten und das Geld herbeizuholen. Die Räuber ließen ihn gefesselt liegen. Sie erbeuteten 1551 Taler 18 Mariengroschen und Kostbarkeiten und Silbergerätschaften. Der Prediger sah verkleidete und grässlich angemachte Kerle, welche mit lautem Aufschlagen der Kästen und Kisten beschäftigt waren. Sie wurden nicht gefasst.

Auch der Heidekrug an der Chaussee nach Braunschweig unweit von Wipshausen wurde beraubt. Eine mit Säbeln bewaffnete Räuberbande erbeutete 1805 sechs- bis 700 Taler an barem Geld.

Den Hinweis auf die letzte Hinrichtung durch Ertränken im Königreich Hannover verdanken wir dem Amtmann Niemeyer. Nach seinen Ausführungen handelte es sich bei den Ertränkten um eine Giftmischerin namens Maria Dorothea Heuern (Hoyers) aus Alvesse, die 1765 ihren Mann vorsätzlich umgebracht haben soll. Zugleich mit ihr wurde ihre Dienstmagd, Anna Ilse Gieselern, wegen Beihilfe schuldig gesprochen.[10]

Die Justizkanzlei in Celle erkannte jedenfalls auf diese Tat die Todesstrafe durch Ersäufen in fließendem Wasser. Frauen, die des Kindesmords schuldig waren, wurden im Amt Meinersen in der Regel – in einen Häckselsack gesteckt – in der Oker ertränkt.

Das Urteil wurde von der Regierung in Hannover bestätigt und am 12. Juni 1765 vollzogen. Nach gehaltenem peinlichen Halsgericht wurden die beiden verurteilten Frauen zunächst vier- bzw. zweimal mit glühenden Zangen angefasst, wie es die Carolina vorsah: „So wurde im Jahre 1765 hieselbst eine Frau, die mit Hülfe ihrer Dienstmagd ihren Ehemann vergiftet hatte, mit vier glühenden Zangengriffen, und die zwanzigjährige Magd mit zwey solchen erst gezwickt, worauf beide in einen dann zugebundenen Sack gestopft, und zur Oker zum Ersaufen geschleppt wurden. Eine Todesart, die ehemals oft hier zur Anwendung gebracht, nachher aber, wenigstens hier, ganz außer Gebrauch gekommen ist."

An anderer Stelle wurde berichtet: „Hiernächst wurde einer Jeden von ihnen ein langer Sack von Leinewand über den Kopf gezogen und unten zugebunden; so trugen beide die vier anwesenden Henker auf eine im Wasser gemachte Vorrichtung. Diese Vorrichtung bestand in einem in das Wasser gerannten Brückenpfahl, auf welchem ein acht Fuß langes, ziemlich breites Brett befestigt war, das sich wieder auf das Ufer lehnte. Von diesem Brett wurden die armen Sünderin-

---

[10] Juristische Zeitung für das Königreich Hannover, Nr. 2, den 15. Januar 1827, Wittenberg, Dieter, Verirrte Pestflüchtlinge ..., Sachsenspiegel 45, Cellesche Zeitung vom 09.11.1985.

nen, mit dem Kopf zuerst in das Wasser gesenkt, und vermöge eines hölzernen Instrumentes, in Form eines Hakenstiehls, auf den Grund gedrückt."

Amtmann Niemeyer vermutete einen Todeskampf von zweieinhalb Minuten, „Jenachdem der Sack dicht oder loose ist, zeigt sich von unten auf eine starke Wasserblase auf der Wasserfläche oben, und dies ist das bestimmte Todeszeichen. Wurde also, wie im Amte Meinersen, die Strafe des Sackens mit Barmherzigkeit vollzogen, so war sie wenn gleich schimpflicher, doch nicht qualvoller als die Strafe des Schwerdtes."

Johann von Horn vertritt die Ansicht, mit der Todesstrafe durch Ersäufen oder Sacken habe man symbolisch anzeigen wollen, dass der Verbrecher nicht länger wert sei, von der Erde getragen und von der Sonne beschienen zu werden.

„Auch in dem gegenwärtigen Jahrhunderte hat der Pferdediebstahl hier mehr zu wie abgenommen, und ganz vorzüglich nahm solcher im Jahre 1818 wieder Überhand. Blos aus dem Uetzer und Hänigser Bruche wurden in den letzten 6 Monaten des Jahres 1818 noch 16 Stück als entwandt angemeldet, wiewohl erst einige Jahre vorher drey Pferdediebe von hieraus in die Karre geschickt waren.

Bey Gelegenheit der Pferdeentwendung hatten die Thäter sich sogleich nach der bestmöglichsten Ausführung eines Schweinediebstahls bereits umgesehen, und 10 Tage nach dem ersteren erfolgte auch der Regel nach schon wieder ein Schweinediebstahl. Trifften von Schweinen, die oft aus 12 und mehreren Stücken bestanden, wurden dann aus jenen Hölzungen weggeführt; ein würklich damals sehr fühlbarer Verlust für den Landmann, da grade in jener Zeit noch das Vieh in sehr hohem Preise stand.

Zwar wurden mehrmals Schweine im Braunschweigischen und Hildesheimschen wieder reclamirt und auch würklich zurückgegeben, aber über die Person des Verkäufers konnte man noch immer nicht die gewünschten Signalements ausmitteln. So wurde dann das Vieh in den Waldungen von Woche zu Woche immer unsicherer, bis endlich folgender ganz sonderbare Vorfall dem Amte zwey höchst gefährliche Verbrecher in die Hände lieferte, und wie mit einem Schlage alle Pferde- und Schweinediebereyen im hiesigen Amte auf einige Jahre ein Ende machte. [Im Jahre 1823 sind abermals mehrere Pferdediebstähle hier vorgefallen, und unter andern einem Einwohner zu Wackerwinkel 3 Zugpferde entwandt. Der Thäter sitzt gegenwärtig hier in Haft.]

In dem kleinen Dorfe Abbeile kam im December 1818 ein angeblich Preußischer Deserteur ganz abgerissen und durchgefroren in dem Wredeschen Bauernhofe an, und bat inständigst hier nur so lange verweilen zu dürfen, bis ein eben eingetretenes starkes Schlossenschauer vorübergezogen seyn würde. Sein aus 5 Kartoffeln bestehendes Frühstück, welche ihm statt Brodt in jener theuern Zeit mit auf den Weg gegeben, aber in seiner Tasche schon zusammengefroren waren, zog er hervor und ließ solches am Ofen wieder aufthauen. (...)"

Des Pfarrers Pflicht war es, dem Tod Verfallene zur Richtstätte zu begleiten. 1708 beschwerte sich Pastor Jantzen darüber, dass er ohne Bezahlung zu solch

„schmutzigem Geschäft" gezwungen werde. „Ich bekomme Ziegenfutter für Eselsarbeit", schrieb der Seelenhirt.

Hatte man einen Verdächtigen an dem Ort, wo kurz vorher oder bald danach ein Verbrechen geschehen war, „erlebt" und konnte der Gesehene sich nicht „bündig" reinigen, so stand er in der Regel schon in den ersten acht Tagen vor dem Marterstuhl, denn ein streng geordnetes Verfahren im Sinne unserer Strafprozessordnung war damals noch unbekannt.

Das Amt Meinersen war bei klarer Sachlage erste und letzte Instanz. Es mussten schon offensichtlich zu Tage liegende Zweifel sein, die das Gericht veranlassten, die Strafakten an die (nächste) „Justitia Fakultät" bei der Universität in Helmstedt zu geben. Helmstedt zeichnete sich durch besonders prompte Erledigung von Todesurteilen aus, so dass der morgens angekommene Amtsbote manchmal schon desselben Tags mit der „Bestätigung" heimreisen durfte. Selten passierte es, dass Urteile gemildert oder aufgehoben wurden.

Waren es ausnahmslos schwererer Untaten Überführte, die das Todesurteil des gestrengen Richters vernahmen? Es gibt Anlass zu Zweifeln. Ein paar Mal wurde nämlich als verübte Tat zu Papier gebracht „unbekannt". Zweimal hieß das Delikt „wahrscheinlich" Pferdediebstahl. Auch auf derart Angeklagte wartete der Galgenberg. Nicht immer stand auch die Identität der Delinquenten fest: „In den Jahren 1615 und 1617 wurden mehrere Straßenräuber hier und in der Nachbarschaft, unter andern auch der früher erwähnte Wedekind, sodann Rampage, v. Cübling u. s. w. hingerichtet", zwei Jahre später „zwei Männer wegen Räuberei" und 1695 „ein Mann wegen Mordes" hingerichtet worden seien.

Dem Betrachter fällt auf, dass lediglich eben noch zu Beginn des Dreißigjährigen Krieges (1618 bis 1648) einige Verurteilte hingerichtet wurden. Für die kommenden knapp 30 Kriegsjahre bleibt das Berichtspapier leer. Der Chronist hat wohl mit diesem Recht: „Im Großen Kriege wurden die Menschen auf einfachere Weise vom Leben zum Tode befördert."

Danach bis zum Anfang des 19. Jahrhunderts wurden mehr als 20 „Manns- und Frauenpersonen" vom Amt Meinersen für todeswürdig befunden und nach dem Galgenberg gekarrt. Wahrscheinlich waren es Nachwehen der grausamen Kriegsjahre, die noch nach Generationen Moral, Sitte und überhaupt die Achtung vor dem geschriebenen Gesetz schlimm lockerten. Auch der unselige Siebenjährige Krieg (1756 bis 1763) brachte mit Zwangsrekrutierungen, Durchmärschen, Besatzung und willkürlichen Beschlagnahmen von Fuhrwerken samt Gespannführern für die Heerestrosse viel Drangsal und ließ manches verwildern. Lag es da nicht auf gleicher Linie, dass angesichts der verflossenen und gegenwärtigen Bösen auch Göttin Justitia nicht immer langwierig und sorgfältig Recht gegen Unrecht abwog, sondern zu „kurzem Prozess" neigte? Ob dabei in jedem Einzelfalle etwaige Unschuld erkannt wurde oder aber tatsächliche mildernde Umstände mitzählten, wer vermag das rückschauend zu sagen?[11]

---

[11] Schlusswort von Hermann Schwenke in: Die Hinrichtungsstätte des ehemaligen Amtes Meinersen.

38

# Der Fall eines 1591 hingerichteten Sodomiten

**Niemeyer, Ueber Criminal-Verbrechen ..., orthographisch unverändert**

(...)

Mit ganz entgegengesetzten Gefühlen betrat 150 Jahre früher der andere Schwermüthige das Hochgericht.

Dieser, bereits in der Jugend von den Lehrern und Eltern wegen seiner ganz vorzüglichen Anlagen eitel gemacht, behauptete auch schon ganz früh unter seinen Schulcammeraden, selbst unter den älteren und größeren, in allen Stücken stets den Vorrang.

Die alten Acten sagen wörtlich:

„er thät sich auf jegliche Art hervorthun, wie er bengelhaft wurde, und durch seine listigen Anschläge glückte es selbem leichtlich, sein Machwerk bey jeglichem Schelmstreiche, ohne daß Bosheit dabey funden und entdeckt worden, zu practisiren, also daß man oftermahlen vermuthen müssen, es gehe nicht allesammt rechter Dinge zu, worauf man aber auch fürderst viele Fratzen bey ihm je zuweilen verspürt, so daß man hierunter glauben mögen, als sey er abwechselnd von einem guten und bösen Geiste besessen."

Viel zu trocken war ihm ein gewöhnliches Handwerk, und obwohl man ihn bey drey Meistern von verschiedenen Gewerben in die Lehre gab, so konnte er jedoch bey keinem derselben es länger wie ein halbes Jahr aushalten, und eben so wenig sich zu Bauernarbeit verstehen.

Statt dessen lief er Tag und Nacht mit einem Forstbedienten aus Hänigsen umher, und da er alles, wozu er Lust hatte, mit Leib und Seele betrieb, so ward er nicht nur in wenig Jahren ein ganz vorzüglicher Schütze, sondern auch mit allen Jagdwissenschaften völlig vertraut.

Einst hörte er von einem benachbarten Schäfer, daß am Abend vorher im nahen Walde mehrere Wölfe an verschiedenen Stellen ein fürchterliches Geheul angeschlagen hätten, und daß er durch drey große und mehrere kleine Feuer, die er um den Hürden herum angezündet, nicht einst jene Raubthiere von seiner Heerde habe allein abwehren können, sondern daß er, um solche an und ab zu verscheuchen, erst mit Feuerbränden herum schleudern und herum werfen müssen, indem seine sonst so beißenden Hunde, statt ihm zu helfen, die ganze Nacht hindurch nur gezittert, und zwischen seinen Füßen durchaus nicht wegweichen wollen.

Der muthige Jüngling begleitete hierauf mit seiner Flinte den ängstlichen Schäfer, und verwundete nicht nur einen nahekommenden Wolf, sondern erlegte in dem Augenblicke, wie des Schäfers Hunde ängstlich in die Karre sprangen, nahe an derselben eine aus dem Beerbusche gekommene trächtige Wölfin.

Dieser Schuß nicht sowohl, als ganz vorzüglich die einige Wochen darauf von ihm mit vieler Einsicht ausgeführte Erlegung eines auffallend großen Luchses, als eines damals schon in Norddeutschland sehr seltenen Raubthieres, brachte ihn bald als Jäger bey einer adelichen Herrschaft in der Nähe unter. Unglücklicherweise diente er hier mit einem alten Gärtner, dessen Erzählungen aus seinem Kriegesstande ihn für das Soldatenleben so einnahmen, daß sein Kopf stets mit Krieg und dem Wunsche beschäftigt war, zu Felde gehen zu können.

Grade zu damaliger Zeit, nämlich in den letzten zehn Jahren des sechszehnten Jahrhunderts, brach unter den in den Niederlanden liegenden Spanischen Truppen eine Empörung aus, und der Spanische Obergeneral wußte kein besseres Mittel, seinen über den rückständigen Sold murrenden Truppen Geld anzuschaffen, und dadurch alle Meuterey zu stillen, als daß er in Norddeutschland ohne weitere Umstände einfiel, allenthalben wie im Feindes Lande Contributionen erpreßte, und mehrere Grausamkeiten und Bedrückungen sich erlaubte. Bekanntlich halfen auch damals alle Reclamationen an Kaiser und Reich gar nicht, und die benachbarten Kreise sahen sich daher genöthiget, gleichfalls ihrerseits Truppen zusammen zu werben, und Gewalt mit Gewalt zu vertreiben.

Zu einem solchen kleinen Corps [12] ging unser Hänigser Jäger mit besondern Empfehlungen hin, bey dessen Chef er sich nicht nur als Freywilliger, sondern auch als Jäger engagirte. Dort schmeichelte er sich bald im hohen Grade ein, weil er nicht nur mit dem größten Muthe Spionsdienste, aus wahrer Liebe zum Handwerke, treu ausführte, sondern überdem, vermöge seiner Schlauheit und steten Gegenwart des Geistes, immer den Ansichten des Chefs schon zuvorkam.

Sein auf der Jagd geübtes und in mehrerer Hinsicht sehr scharfes Auge kam ihm trefflich zu statten, und da er, wie der tollkühnste Wagehals, sich bey allen Gefechten auszeichnete, und von dem großen Haufen geachtet und bewundert wurde, so ward er nicht nur bald der Liebling, sondern auch selbst der Rathgeber des Anführers, dem er auch wegen seiner genauen Kenntnisse von der Stärke und Stellung des gegenüber stehenden Feindes nicht sowohl die besten Anschläge geben konnte, als sich überhaupt vermöge seines gesunden Menschenverstandes in den mehrsten Fällen auf das beste stets durchzuhelfen wußte. Wie es leicht abzusehen war, erwachte bald der Neid. Den Umgebungen des Chefs war die Jäger schon längere Zeit ein großer Dorn im Auge gewesen, mit welchem sie es schon ihrer Selbsterhaltung wegen zwar äußerlich halten mußten, aber dagegen innerlich stets darauf bedacht waren, ihm möglichst jede Fallbrücke zu legen.

Ihr Neid verwandelte sich bald in den größten Haß, da der Günstling durchaus keine Verhältnisse und keine Schonung kannte, und ungeprüfte Anschläge oder

---

[12] Die kleine Heerschaar scheint nach allen Vermuthungen aus einem einzigen Regimente Fußvolk und aus einigen Fahnen Reuter nur bestanden zu haben. Der Name des Anführers und auch der Kreis, welcher das Häuflein gestellt hat, constirt nicht aus den Acten, noch weniger einmal der Stand des Kreises.

Gleichgültigkeit im Dienste gleich bey dem wahren Namen zu nennen pflegte, auch selbst den Chef oft unbarmherzig herum nahm, ohne daß solcher im mindesten gegen das gesunde Raisonnement etwas zu sagen wußte. [13]

Stets Tag und Nacht im Dienste beschäftigt, ruhete der Günstling nicht eher, als bis man entweder in dem eigenen Corps irgend einen ihm aufgestoßenen Fehler abgestellt, oder bey dem Feinde irgend eine gezeigte Blöße benutzt hatte. Oft kam er daher dem sanguinischen Chef, und noch weit mehr dessen Umgebungen mit Dienstsachen des Nachts höchst ungelegen. Man verschrie ihn desfalls allenthalben als einen Menschenquäler, der von jedem Krieger unablässig die harte Bedingung forderte, daß man stets den Tod verachten, mit Freuden entbehren, und dennoch Tag und Nacht allezeit zum Angriffe bereit seyn müsse. Urtheile, die er sich laut wider den Chef, und vorzüglich gegen dessen ersten Gehülfen, einen Hauptmann Herzer, erlaubte, wurden ganz warm und oft mit starken Zusätzen an den ersteren wieder überbracht, der ihn dann endlich einmal einen wunderlichen Plagegeist verdrießlich nannte.

Diese Idee wurde sogleich auf alle Weise nicht nur aufrecht erhalten, sondern auch dem Chef von weitem eine wohl kaum halb wahre und bloß von den Umgebenen selbst in Umlauf gebrachte Nachricht hinterbracht, daß der gemeine Mann die Achtung gegen das General=Commando bedeutend verlieren würde, wenn dessen Leitung einem Bauernsohne öffentlich länger noch anvertraut seyn sollte. Zwar ging eben dieser Bauernsohn stets vorn an der Spitze der Freywilligen bey allen gefährlichen oder nächtlichen Ueberfällen. Ihm, der den Boden vorher genau kannte, folgte die Schaar der übrigen unverdrossen und auch am zuversichtlichsten, weil nie eine Kugel diesen muthigen Anführer traf, und man schon deshalb ihn allgemein nicht nur für unverletzbar, sondern seine Nähe selbst schon für sicher hielt.

Ein jeder solcher Ueberfall glückte dann bey der großen Zuversicht der Stürmenden, und nach einem solchen Vorfalle waren freylich die Neider dann auf einige Tage wieder ganz kleinlaut. Allein das eigene beständige Schimpfen des Beneideten über diesen oder jenen der Vorgesetzten war einmal viel zu laut und zu stark, als daß der Chef nicht jederzeit Gelegenheit von neuem wieder bekommen mußte, seinen ehemaligen Günstling jetzt mit ungünstigern Augen anzusehen.

Der Voigt zu Uetze war höchstens die einzige weltliche Standesperson, welche er auf dem Dorfe vorher dann und wann einmal gesehen hatte, und wenn er freylich nachher auf einem Gute gewesen war; so hatte er doch nur seine Zeit mit den Landjunkern auf der Jagd zugebracht, und zu sehr wie Cammerad gelebt, als daß er aus eigener Erfahrung wissen oder jemals gehört haben sollte, daß man schon aus Lebensklugheit in Nebensachen oder Kleinigkeiten nachgeben müsse. Noch weniger fiel ihm der Gedanke ein, daß er, um sich in seinem würklich ge-

---

[13] Er aß an der Tafel des Chefs gleich nach den ersten vier Wochen, und schlief in dessen Zimmer, wenn nicht als Ausnahme von der Regel eine andere Gesellschaft ihn für jene Nacht dort verdrängte.

fährlichen Posten zu erhalten, nothwendig einige der Umgebungen auf seiner Seite haben müsse.

Der unerfahrne Jäger verwarf daher, zu stolz und zu rechtschaffen, jede Annäherung, die dieser oder jener seiner ehemaligen Feinde zu einer Zeit ihm machte, wenn er grade nach einem glücklichen Vortheile wieder in der Gunst etwas gestiegen war. Der sich ihm wieder nähernde Feind kam freylich nicht aus Liebe; sondern mehr aus Furcht, daß vielleicht dieser oder jener Andere aus des Chefs Umgebung hinführo wieder der Günstling werden würde, und glaubte, daß gegen solchen zu rechter Zeit ebenfalls Cabalen wieder geschmiedet werden müßten, welche niemand besser, als wie der vormals so allmächtige Jäger unterstützen könne.

Noch weniger wußte es der Hänigser Bauernsohn, daß er weit sicherer vermuthlich gegangen wäre, oder wenigstens sehr wohl doch gethan hätte, wenn er durch Umwege oder deutlich an den Weg geworfene Bemerkungen nach und nach den Chef oder dessen Hauptgünstling auf eigene Ideen ohnvermerkt geleitet, diese nöthigenfalls näher dann berichtiget, und solche eigene und gewissermaaßen nur untergeschobene Pläne für das höchst selbst eigene Machwerk des Vorgesetzten ausgegeben hätte. Alles dies war ihm jedoch viel zu weitläuftig, und so eilte der offene, im höchsten Grade diensteifrige, wissentlich nie beleidigende und höchst uneigennützige vormalige Günstling seinem Sturze mit großen Schritten zu, ohne daß er die ihm gelegte Fallgrube im mindesten ahnete.

Einstens hatte sich derselbe in dem 3 Stunden weit entfernten Lagerplatze, in welchem 3 Spanische Bataillons sich verschanzt hatten, unter dem Vorwande, daß seine Pferde ihm gestohlen wären, in Bauerkleidung eingeschlichen, und da er hier und dort einiges Geld in die rechten Hände zu drücken gewußt hatte; so wurde er daher allerwärts nicht nur zum Nachsuchen zugelassen, sondern noch dazu bedauert, wie er vergeblich alle Winkel durchkrochen hatte und weinend seinen arglosen Führern Dank sagte.

Auf einem weiten Umwege kehrte er hierauf glücklich wieder in das Deutsche Lager, wo zwar alles vom General=Commando schon der Ruhe oder der Liebe pflegte, aber dennoch, wiewohl mit Unwillen, hervorkommen mußte.

Hier zeigte er die Schwäche an, wo dem Lagerplatze anzukommen stand, und erbot sich, wie sich es schon von selbst verstand, die Sturm=Colonne zu führen.

Die Spanier hatten durch eben eingetroffene Holländische Ueberläufer die Nachricht erhalten, daß die Deutschen ganz ruhig schliefen, und daß am Spätabende noch durchaus keine Bewegung zum Angriffe getroffen sey; sie dachten daher an nichts weniger wie an einen Ueberfall, und sahen zu ihrem Erstaunen die Deutschen auf einmal schon mitten unter sich.

Wie unser Held nun den gewissen glücklichen Erfolg sahe, eilte er auf einem engen Fußsteige mit einiger Mannschaft nach einer sehr nachlässig besetzten, im Rücken des Feindes liegenden Brücke, worüber man nach aller Wahrscheinlichkeit die Flucht nehmen mußte. Diese wurde auch sofort genommen, allein die

Verstärkung, welche auf ein bestimmtes Signal vielleicht nachrücken sollte, blieb aus. Auch die Stürmenden, welche dem Plane gemäß den fliehenden Feind nachdrücken sollten, mochten sich in dem verschanzten Lagerplatze mit Plündern wohl zu lange aufgehalten haben, [14] und so gelang es dem Feinde, zwar mit Verlust eines Theiles des Gepäckes die Brücke zu erreichen, welche nicht länger gegen die ganze wieder gesammlete Macht vertheidigt werden konnte.

Jederzeit vorher glaubte unser Held, daß er nie hinreichend seine Pflicht gethan haben könne. In der heutigen Nacht war er zum erstenmale mit sich selbst zufrieden, dabey aber im höchsten Grade darüber erbittert, daß man theils die Verstärkung ihm nicht zugesandt, theils die Soldaten nicht besser vom Plündern im Lager abgehalten hatte. Ohne Unterschied schimpfte er auf alles, und vielleicht durch sein Raisonniren erfuhr der Staab zuerst die unangenehme Nachricht, daß das ganze Detachement nicht, wie gehofft, mit seinem Anführer bey der Brücke in Stücken gehauen sey.

Wie am andern Morgen die übrige genommene und nicht geplünderte Beute dem Gebrauche nach unter die Stürmenden vertheilt wurde, ward auch der Held aufgerufen, welcher sich dann bescheiden in der sicheren Erwartung auch näherte, jetzt eine Art von Ehren=Decoration in Empfang nehmen zu sollen; aber statt dieser erhielt er vor der ganzen Fronte als Raisonneur eine sehr reichliche Portion Correctionshiebe, welche statt zu bessern ihn für die irdische Welt freylich ganz verdarben.

Seine allezeit giftige Zunge war immer, wenn nur irgend etwas widriges eintrat, höchst geläufig gewesen, jetzt aber hatte sie begreiflich durchaus keine Ruhe; sie förderte vielmehr ohne Unterlaß Wahrheiten zu Tage, welche so klar dem großen Haufen vor Augen standen, als die Mittagssonne am blauen Himmel.

Der vorhin beneidete Unglückliche war durch die ungerechte, entehrende Mißhandlung von nun an völlig schon wieder mit dem großen Haufen ausgesöhnt, welcher in weiten Kreisen sich allenthalben gern um den Schimpfenden herum stellte und lauten Beyfall seinen Vorträgen zollte.

Eine Revolte oder völlige Empörung des Kriegesvolkes, welches aus unsichern, allenthalben zusammengeworbenen Leuten bestand, war damals gar nichts seltenes; man murrete jetzt schon allgemein, und mehrere von weitem sich heranschleichende ängstlich horchende, und durch den heutigen Vorfall sehr verhaßte Subjecte vom Generalstaabe wurden nicht nur öffentlich verhöhnt, sondern hin und wieder selbst gemißhandelt. Vielleicht besorgt für ihr Leben, riethen sie nun zum schleunigen Aufbruche, und waren froh, den gefährlichen Jäger durch die entehrende Bestrafung mit einem Male für ewig vom Ruder entfernt zu haben.

---

[14] Die Spanier zertheilten sich bekanntlich in einzelne kleine Corps und verschanzten sich sogleich, wenn sie einen Feind gegen sich über hatten. Nach einer Sage wurde im Alter Walde, Amts Ilten, um jene Zeit ein solches verschanztes Lager, in welchem 2 Spanische Bataillons sich vertheidigten, eingenommen und die Mannschaft darinnen niedergehauen. Der noch mit einer Bewallung versehene, jetzt mit Holz bewachsene Platz, wird noch bis auf den heutigen Tag der Spanische Kirchhof genannt.

Man gab nun demselben einen 3monatlichen Sold, und entließ darauf diesen gebornen Krieger, als einen dann und wann vom Wahnsinne befallenen, und sodann Irrereden gern führenden Aufwiegler.

Mit geschlagenem Herzen und Rücken kehrte der verkannte Krieger wieder in
seine Heimath zurück, als ein unglückseliges Mittelding, welches durchaus nicht
der mit der Hand arbeitenden Classe angehören wollte, und dennoch keine Mittel anwenden konnte, um die im Kriege gewohnte Lebensweise auf rechtliche
Art noch weiter fortzusetzen.

An keine reelle Arbeit gewöhnt, und nie hiedurch zerstreuet, hing er dagegen
Tag und Nacht nur seinen Grillen nach, und vor Wuth knirschend erzählte er
allenthalben die ihm wiederfahrne schändliche Behandlung, die den mehrsten
Zuhörern nur deshalb ein Interesse noch gewährte, weil sich der Erzähler ganz
unsinnig dabey geberdete.

Mit der ganzen Welt grollend, oft verhöhnt, oftmals in seinen Ideen boshaft bestärkt, hin und wieder durch unzeitigen Widerspruch sogar gereizt, hielt er sich
für den unglücklichsten Menschen, zumal ihm die Seinigen oft vorhielten, daß
er ein ganz unnützes Mitglied der menschlichen Gesellschaft sey, und gleich
dem Hauptmann Herzer es bedauerten, daß er nicht bey der befraglichen Brücke
seinen Tod für das Vaterland schon längst gefunden hätte.

Dieses alles, verbunden mit dem sehr häufigen Genusse hitziger Getränke, zog
ihm ein anhaltendes Uebelbefinden, und endlich eine beständige Schwermuth
zu.

Nur die Sucht, mit Ehren, wenigstens etwas bewundert, zu sterben, erhielt ihn,
der täglich seinen Tod wünschte und suchte, noch am Leben, und kein Brand
oder sonstige Gefahr trat ein, wo er nicht sofort als Helfer gern erschien, und
sein Leben zur Rettung Anderer auf das Spiel setzte. In der Stunde der Gefahr
vergaß er dann sein eigenes Leiden, und nur erst, wenn diese vorüber war, betrauerte er dann desto tiefer seine noch immer unglückliche Fortdauer.

Einstens betrat er den nämlichen Brandplatz wieder, auf welchem er kurz vorher
bey einem Brande eine für schon verloren gehaltene Wöchnerin nebst derem
Kinde aus dem zweiten Stockwerke mit der größten Lebensgefahr getragen hatte.

Dieser Platz wimmelte gegenwärtig wieder von Zimmerleuten, welche das
schon neu angefahrne Bauholz zu bebauen anfingen. Das noch mit Brandblasen
übersäete Gesicht des Schwermüthigen fällt einigen der losen Buben darunter
auf, welche denselben unter starkem Zutrinken auf seine Feldzüge bringen.
Kaum ist seine Erzählung zu Ende, als sie einstimmig erklärten, daß er dennoch
aus keiner andern Ursache, als nur aus Feigherzigkeit abgedankt seyn müsse.
Sogleich fordert er sie sämmtlich unter Schimpfen heraus, und verletzt den ihn
zuerst angreifenden Zimmermann nicht nur sofort mit der, demselben aus der
Hand gewundenen, eigenen Axt dergestalt, daß alle übrigen augenblicklich zu-
rückprallen; sondern auch hiemit noch nicht zufrieden, überschreitet er sodann

ferner die Gränzen der Nothwehr. Sämmtlich treibt er sie vom Bauplatze mit der fremden Axt noch weiter in das Dorf hinein, und noch ganz wüthend geht er dann auf den Haufen los, wo solcher grade am dichtesten steht. Ein eben hinzugekommener, mit dem Vorgange ganz unbekannter, Zimmermann aus Nordhausen will Steuer halten, und stellt sorglos sich ihm daher in den Weg. In der Meinung, daß dieser sich gegenwärtig gleichfalls noch mit ihm messen will, zerspaltet er demselben mit einem Schlage sogleich den Kopf, worauf alle übrigen von ihm im Verruf erklärt, ganz davon laufen.

Während der ersten halben Stunde denkt er sich wieder ganz als Krieger, und triumphirt, sich würklich groß fühlend, auf dem Kampfplatze.

Allein bald tritt seine gewöhnliche Geistesunruhe wieder ein; statt Bewunderung hört er von allen Seiten nur bittere Vorwürfe und allenthalben den Zuruf, daß er wahnsinnig sey, und um so mehr aus der Welt müsse, weil er eben einen ganz unschuldigen Menschen, der noch dazu die Ruhe herstellen wollen, todt geschlagen habe. Vorzüglich schwer fällt ihm besonders das letztere auf das Herz; er besieht den Nordhäuser tiefgerührt und findet solchen bereits todt. Noch einmal erwacht sein Ehrgeiz; er nimmt den Verwundeten auf seinen Rücken und trägt ihn nahe vor seinen Gegnern muthig in das eigene Quartier derselben, erklärt hiebey diese nochmals für feige Memmen, die ihn nicht anzugreifen wagten, und verläßt sie hierauf verhöhnend mit der Erklärung, daß er nunmehr selbst sich dem Gerichte ausliefern und seinen baldigen Tod sich erbitten wolle.

War es einmal der Gedanke, die undankbare Welt als ein bewunderter Mann jetzt verlassen zu können, und seine ihn erwartende Strafe reichlich verdient zu haben, der seinem Gemüthe wieder Ruhe gab? oder war es die Gewißheit des einmal nahe nun bevorstehenden Todes, oder der gänzliche Vorenthalt der hitzigen Getränke? oder hernach die vernünftigen Vorstellungen des Gerichts und des schon zur Todesvorbereitung zugezogenen Predigers? Kurz der Gefangene ward ganz wie von neuem verwandelt, und am achten Tage stellte sich wieder die heißeste Lebenslust bey eben diesem Manne im höchsten Grade ein, der bis hieher viele Monate hindurch den Tod auf jede Art gesucht hatte, und nun vor demselben wie Espenlaub zitterte. Vorhin hatte er stets gewünscht, daß die ganze Welt wie Sodom und Gomorra wegen ihrer Verderbtheit zu Grunde gehen möge; jetzt erschien sie ihm wieder in dem schönsten Lichte, und das recht, frey darin zu leben, wie das unschätzbarste Erdenglück. Nach seiner jetzigen festen Ueberzeugung war die Erde für jeden schon ein Paradies, in welchem aber der Mensch sich durch Ungenügsamkeit, eitlen Wahn und zu wenige Nachgiebigkeit, dies schönste Erdenleben selbst verderbe.

Wie ihm am zwölften Tage seiner Gefangenschaft angekündigt wurde, sich zum baldigen Tode vorbereiten zu müssen, widerrief er die ganze Sache, und mußte hierauf zu seiner größten Beschämung schon am folgenden Tage vor 13 ihm sofort vorgestellten Zeugen selbst eingestehen, daß er aus Angst vor dem Tode den Widerruf, als den letzten Versuch, sein Leben nochmals zu retten, bloß angebracht habe.

Wie die Stunde des peinlichen Halsgerichts am nächsten Freytage Morgen schlug, will er anderweit widerrufen; aber unaussprechlich groß wird auf einmal seine Freude, wie ihm der Prediger im engsten Vertrauen jetzt eröffnet, daß er wegen seines von Jugend auf bezeigten Muthes, wegen früher Erlegung von schädlichen Raubthieren, und vorzüglich wegen Rettung der Mutter mit dem Kinde bey dem neulichen Brande, gleich nach dem Vaterunser das Wort Gnade – jedoch erst auf dem Hochgerichte, hören werde.

Die ihm heimlich bekannt gemachte, darauf noch folgen sollende einjährige Gefängnißstrafe achtete er selbst für so gelinde, daß er sich erbot, zu Ehrenrettung der ganzen Zimmergilde und in Gegenwart deren Deputirten allenfalls den Staupenschlag noch erleiden zu wollen.

Vorzüglich willkommen waren ihm aber die Förmlichkeiten des Hochnothpeinlichen Halsgerichts, [15] da er bey allem seinem jetzigen Kleinmuthe als Held noch glänzen zu können glaubte.

Unterwegs bedauerte er die Menge von Zuschauern und besonders von Zuschauerinnen, [16] welche eigentlich einen Aprilweg mache, da solche, wie er selbst leicht einsehe, weit lieber einen Menschen enthaupten als begnadigen sehen werde. Lebhaft vertheidigte er noch immer den Nutzen aller Raubthiere, und behauptete, daß der Mensch eigentlich mordsüchtiger und blutgieriger wie der unvernünftige Wolf sey, wobey er weitläuftig ebenfalls noch deducirte, daß Glück und Unglück zur Besserung des Menschen einmal abwechseln, und daß daher eine Feuersbrunst nothwendig auch ihre guten Folgen haben müsse. Die Augen wollte er sich nicht einst verbinden lassen, da er selbst dem Tode stets in das Auge gesehen habe. Doch ließ er sich dieses nach einer von ihm gehaltenen sehr guten Ermahnung an die Zuschauer endlich gefallen, und setzte sich sodann ruhig auf den Richtstuhl nieder, nachdem ihn der Prediger nochmals kurz darüber beruhigt hatte, daß er den alten blinden Amtmann Weinnygel schon zu rechter Zeit, gleich nach dem Vaterunser, zum Ausrufe des Wortes: Gnade, sicher anstoßen wolle.

Aber gleich nach der vierten Bitte lag das Haupt dieses sichern Lebenslustigen schon zu den Füßen des nun allgemein bewunderten Scharfrichters, [17] welcher

---

[15] Die ganze Förmlichkeit dieser Hegung währte reichlich anderthalb Stunden, bevor der gespannte arme Sünder sein Urtheil erfuhr; noch in der zweiten Hälfte des achtzehnten Jahrhunderts wurde dies Gericht eingeläutet; dann erfolgte feyerlich der Aufruf, ob es Zeit sey es zu halten, dann wurde es eröffnet, diese Eröffnung dem Delinquenten noch besonders bekannt gemacht, er über viele Fragen vernommen, dann endlich das Urtheil verlesen, und mit vielen Weitläufigkeiten dem Scharfrichter dessen Vollziehung übergeben, der um sicheres Geleit und Schutz bat; dieser Schutz ward ihm feyerlich zugesichert, und sodann wieder unter mehreren Formalitäten das Gericht geschlossen.

[16] Der Prediger bemerkte wörtlich: „unterwegs erwachte die Erbsünde wieder, und der Sünder ward über künftige Lebenslust frohlockend, weshalb man in solcher Verlegenheit des erschlagenen Zimmermanns erwähnen mußte, worauf dann die Begierden wieder erstickten."

[17] Der zu dieser Täuschung wahrscheinlich überredete, nachher von Gewissensbissen vermuthlich beunruhigte Prediger, giebt in einem mehrere Bogen langen Pro Memoria, aus welchem hauptsächlich die Biographie dieses Schwermüthigen entlehnt ist, zu seiner rechtferti-

für den ihm allenthalben gezollten Beyfall sein blutiges Richtschwert nach allen Seiten hin dankend verneigte. [18] Man kann nicht verkennen, daß, wenn keine Abänderung der Todesstrafe im Wege Rechtens oder der Gnade erfolgen konnte, man allerdings den Delinquenten auf die für ihn allersüßeste Weise aus der Welt brachte.

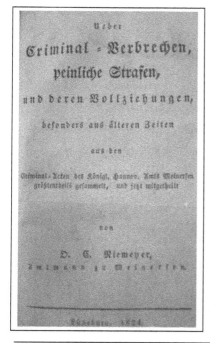

**Quelle:**

Niemeyer, Otto Carl, Ueber Criminal-Verbrechen, peinliche Strafen, und deren Vollziehungen, besonders aus älteren Zeiten / aus den Criminal-Acten des Königl. Hannov. Amts Meinersen größtentheils gesammelt, Lüneburg 1824, S. 134 ff.

*Niemeyers Beitrag als Nachdruck im Neuen vaterländischen Archiv, Jahrgang 1824.*
*Foto: Blazek*

gung an: daß jeder gewünscht habe, diesen traurigen Tag nur bald zu überstehen, daß ein fernerer Widerruf dem Lebenslustigen nicht nur nichts geholfen, sondern ihm nur vergebliche, nachher vereitelte, Hoffnung gemacht habe, daß dagegen die Verheelung des Todes demselben die bittersten Stunden auf eine unschuldige Art versüßt, und dagegen frohe Lebens= und Dankgefühle gegen Gott erweckt, vorzüglich denselben aber auch vor einer Sünde – nämlich vor einer Lüge – (dem Widerruf) bewahrt habe. Die angewandte Täuschung sicherte freylich künftighin radicaliter den armen Sünder vor einer Lüge, indeß läßt eben diese Täuschung sich nicht ganz wohl mit den geäußerten Grundsätzen des Predigers vereinigen, welcher, um nur den Delinquenten hievor zu sichern, selbst grade diesen nämlichen Fehler dadurch beging.

[18] Die ehemaligen Hinrichtungen mit dem Schwerdte glückten bekanntlich der Regel nach besser, wie die der nachherigen Zeit. Ob entweder die weit stärkere practische Ausübung der Scharfrichter in diesem Geschäfte, oder ob die Rohheit der älteren Zeit das Mehrste hiezu beytrug, ist eine besondere Frage.

Ausgemacht ist es indeß, daß ehemals selten eine Execution mißglückte.

Sehr viele Protocolle lauten ohngefähr wie folgt:

„Der Delinquent wurde in Begleitung der Prediger nach abgehaltenem hochnothpeinlichen Halsgerichte in den engen Kreis geführt, und dem Meister N. N. und dessen Leuten übergeben, worauf dann durch einen einzigen geschickten Hieb der Kopf vom Rumpfe getrennt, und damit Terminus beschlossen wurde."

*Die Wasserprobe, in der Carolina übrigens gar nicht erwähnt, wurde grundsätzlich bei Mitgliedern unterer Klassen angewendet. Schwimmen war das Zeichen der Schuld und damit die Hexerei erwiesen. Sank der Körper ins Wasser, so galt die Angeklagte als unschuldig (meistens ertrank sie dann aber). Diese Wasserprobe stützte man bald auf die Meinung, dass den Hexen vom Teufel eine spezifische Leichtigkeit des Körpers verliehen sei, welche sie nicht sinken lasse, bald auf den Satz: „Das Wasser nehme die nicht in seinen Schoß auf, welche das Taufwasser – bei der Lossagung vom christlichen Glauben – von sich geschüttelt hätten." Eine andere Vorstellung beruhte darauf, dass Hexen sehr leicht sein mussten, um fliegen zu können und daher nicht untergehen konnten. Spuren von Hexenprozessen und somit auch Hinweise auf erfolgte Wasserproben liegen aus Meinersen nicht vor. Stich aus dem 17. Jahrhundert*

# Der Fall des Räubers Grone

### Niemeyer, Ueber Criminal-Verbrechen ..., orthographisch unverändert

(...)

Dagegen bringt man in Erfahrung, daß am Tage der Ermordung ein in hiesiger Gegend sehr bekannter Handwerker aus Wolfenbüttel eiligst einige Amtsdörfer durchlaufen, und bald darauf in Begleitung von zwey vermummten, mit ungewöhnlich starken, beschlagenen Knotenstöcken versehenen, Kerls die Braunschweiger Straße auf und ab gegangen sey. Eiligst ersuchte man dieserhalb durch einen Boten das Residenzamt sofort den befraglichen Mann über die Personen seiner Begleitung umständlich zu vernehmen, aber gegen alles Erwarten erwiederte der damalige Amtmann F. K. F. D. in mehrn unter andern:

> „Auch hier im Lächeln Holze ist am letzten Sonntage ein Schinderknecht erschlagen und seines Geldes beraubt, indessen fallen dieser Pläckereyen dermalen vom Dienstage an so viele vor, daß man nicht immer Zeit hat, sich alles umständlich anzeigen zu lassen, noch weniger also alles selbst gehörig anzuzeichnen.[19] x. x."

Mittlerweile war Grone schon benachrichtigt, daß der Factor 3 Tage nach jener Ermordung zu Wagen abreisen wollte, und Grone beobachtete auch schon vom Mittage an die Braunschweiger Straße. Diesseits der Rothen=Mühle näherte er sich würklich schon dem Jagdwagen, allein ein Angriff am hellen Tage schien ihm um so bedenklicher, als außer dem Herrn und dem Fuhrmanne noch ein dritter Mann, mit einer Wehr umhangen, auf dem Wagen saß. Queer durchstreifte er daher die Heide, und suchte unterweges aus einem ihm grade ansichtig gewordenen Haufen Schlagholz für sich und seine beiden Gehülfen starke Keulen aus, die ihm zu seinem Unternehmen tauglicher wie die Knotenstöcke schienen. Wie bereits die Strahlen der untergehenden Sonne sich gebrochen hatten, lagerte er sich gegen Ohoff über unter das Hochgericht selbst.

---

[19] Die Hinrichtungen häuften sich in Wolfenbüttel seit 1590 so sehr, daß unter andern nach Beckers Weltgeschichte 6. Theils, S. 608, oft an einem Tage 10 bis 12 rothäugige Weiber als Hexen verbrannt wurden. Von den vielen Galgen, Rädern, und namentlich von den dicht neben einander stehenden Brandpfählen, soll der Bezirk des großen Executionsraums einem kleinen Walde ähnlich gewesen seyn.

Schon vor Beendigung jenes Jahrhunderts erfolgten bekanntlich ebenfalls noch die vielen Meutereyen und blutigen Auftritte in Braunschweig, welche im Jahre 1600 wider Heinrich Julius so sehr ausarteten, daß sogar die Stadt Braunschweig förmlich in die Reichsacht erklärt und belagert wurde. Zwar wurden äußerlich die Unruhen durch den Stederburger Vergleich wieder beygelegt, aber die Landesherrlichen Behörden waren einmal durch die Meutereyen, Factionen und so weiter so sehr schon beunruhiget, daß eine bloße, aus Raublust begangene, Mordthat, weil sie ja keine weitere Folgen unmittelbar nach sich zog, hier von dem Amtmann F. für eine einmal geschehene Pläckerey angesehen wurde.

Diese schauderhafte Stätte ward ohnehin nicht leicht von Jemand zur Abendzeit besucht, noch mehr aber sicherte hier folgende, in der hiesigen Gegend damals allenthalben gängige Sage, den Grone an dieser Stelle vor jeder Art von Nachforschung.

Etwa ein Jahr vorher waren zwey Straßenräuber durch das Rad hier hingerichtet, welche auf keine Weise zu Wiederherbeyschaffung einer, unter mehreren von ihnen geraubten, sehr kostbaren Kiste vermocht werden konnten. Noch in der Stunde ihrer Hinrichtung wandten die Prediger zwar alles an, sie zu Herausgabe jener Sachen, die ihnen im Tode doch nichts mehr nützen könnten, zu bewegen; allein beide erklärten, daß sie die fehlenden Sachen nicht wüßten, und forderten auf den Fall, daß sie etwas noch verheimlicht haben sollten, hiemit den Teufel auf, sie so lange, wie sie mit Haut noch umgeben wären, auf dem Rade zu ängstigen und zu plagen, bis sie selbst noch im Tode den Raub wieder an den Platz geschafft haben würden!

Durchgehends glaubte man dem ohngeachtet, daß sie dennoch jenes Kästchen auf dem Raubplatze wirklich eingescharrt hätten. Der Sage nach hatten sie wegen ihrer Verheißung jetzt selbst im Tode keine Ruhe mehr, und wollten selbst daher den Raub noch zu Tage fördern.

So lange wie sie also noch würklich mit Haut umgeben waren, fingen die Glieder der Hingerichteten, so bald der Abendstern blinkte, noch langsam an zu zucken. Immer späterhin nahmen die Bewegungen bedeutend zu, und gegen 12 Uhr wurde das Kettengerassel so laut, daß man es in Ohoff und Seershausen deutlich hören konnte. Mit dem Anfange der Geisterstunde rutschten sodann beide vom Rade herunter, und eilten in grader Richtung queer durch Heide, Forst, Feld und Wiesen zu dem Raubplatze hin. Hier versuchten sie zwar, das Kästchen auszuscharren, allein der Raub hatte schon die Eigenschaft eines Schatzes angenommen, und ein böser Geist, der ohne die Hülfe eines Paters nicht wegzubannen stand, hatte sich schon hart dabey gelagert. In der Nacht mußten jene Missethäter allezeit daher unverrichteter Sache wieder zurückkehren, und hatten in den kurzen Nächten kaum so viel Zeit, das mühsam aufgekratzte Loch wieder zuzuscharren, weil sie eher wieder und ganz schulgerecht schon auf den Rädern sitzen mußten, bevor sie dort die früheste Morgenluft überwehte. Kein Fuhrmann, keine Dienstboten passirten in der Dunkelheit ohne Noth die Nähe jenes Hochgerichts, und wenn gleich im December 1616 nur bloße Gerippe noch auf den Rädern hingen, mithin damals endlich das Umherspuken der Hingerichteten schon völlig beendigt seyn sollte; so suchte doch Jedermann so geschwind wie möglich diesem schauderhaften Orte vorbey zu eilen.

Grone hatte sich indeß sorglos auf das Gesicht zwischen Sandhügel, die bey den häufigen Enthauptungen aufgeworfen waren, hingelegt, und war sehr ruhig eingeschlafen. Sein jüngster Zögling, welcher die eine Straßenseite beobachten sollte, saß wachend dagegen hinter einem ähnlichen Sandhügel, wo er grade einen noch ziemlich frischen auf einen Pfahl geschlagenen Kopf eines Mörders stets vor Augen hatte.

In dem letzten Abendlichte blickte der Zögling jenen Kopf unverweilt an, und glaubte in dessen Zügen ein stummes Warnen zu errathen. Kaum verwischten sich nach und nach die nun in seinen Augen dunkel werdenden Gegenstände, als der eben erwähnte Zögling von der schrecklichsten Angst überwältigt, den murrenden Grone aufweckte, und auf seine Entlassung bestand, die er dann endlich, jedoch unter der Androhung nur erhielt, daß ihm lebendig die Zunge aus dem Halse gerissen werden solle, insofern er irgend ein Wort aus der Schule sprechen würde. So wie nun dieser Zögling zwischen den einzelnen Bäumen durch nach Hause ging, flatterten die durch ihn von solchen aufgeschreckten Raben und Krähen krächzend umher. Ein Nordwind erhob sich gleichfalls, und nun fingen die Gerippe auf den Rädern gräßlich an zu klappern. Auch dem ältesten Zöglinge wurde gleichfalls bange, auch er fing schon an zu capituliren, allein grade in jenem Augenblicke hörte man leider in der Abendstille aus der weiten Heide her ein dumpfes Zerbrechen des Eises in den Hohlwegen, und gleich darauf nahm man das Heranrasseln eines Wagens auf ebenem Froste deutlich wahr. Grone beschäftigte den ängstlichen Kopf des Zöglings nunmehr mit dem Angriffsplane selbst, und ließ letzterm daher keine Zeit, das Schreckliche der bevorstehenden That und deren Folgen weiter zu überdenken. Auf einmal hält schon der Wagen nahe bey dem Hochgerichte an einer Niederung, vor deren Eisdecke die Pferde stutzen, und diesen Augenblick grade nehmen die Räuber wahr. Sie stürzen beide unter Galgen und Rädern hervor, und versetzen zuerst dem Kutscher 3 solcher Keulenschläge auf die Schulter und Brust, daß dieser sofort unter die Deichsel stürzt. Jetzt springt der junge Mann mit seinem Degen zwar vom Wagen, allein entweder zu sehr durchfroren, oder im Mantel irgend einerwärts hängen bleibend, geräth er sogleich auf das Straucheln, und empfängt, ohne Gegenwehr zu leisten, seine Todesstreiche. Der Factor legte sich nun der Länge nach in den Wagen unter die Stühle, und schützte freylich anfänglich durch solche und durch das Gepäck noch seine Glieder; allein nach und nach wurden diese ihm abgeschlagen, und er starb nunmehr eines nur noch schmächlichern und langsamern Todes. Die Trauerpost mußte ohngefähr um die nämliche Zeit in sein Haus ankommen, wie man seine Zurückkunft von Celle erwartete, und auf die Austheilung der aus Braunschweig mitgebrachten Weihnachtsgeschenke hoffte.

Einige Tage darauf befand sich Grone schon, laut Acten, auf einmal hier in Haft, ohne daß solche ergeben, was für weitere Anzeigen man mittlerweile wider ihn noch aufgetrieben hatte.

Vier Wochen darauf, ein in damaligen Zeiten sehr ungewöhnlich langer Zeitraum, ward indeß das Hochgericht schon mit einem neuen Pfahle wieder vermehrt, auf dessen Rade Grone mit lang ausgestreckter Zunge hervorragte.[20]

---

[20] Ob das weite Ausreißen der Zunge eine Anspielung auf die dem Zöglinge ertheilte Drohung hat seyn sollen, oder aus Animosität der Halbmeisterknechte deshalb geschehen ist, weil zwey von ihren Cammeraden von Grone erschlagen waren, findet sich nicht weiter. Eine Verwandte von Grone hatte übrigens, laut eines Briefes, einem Henkersknechte 3½ Elle Leinwand geboten, wenn er die Zunge wieder mit Schick hinein practisiren könne.

Nach Mitthätern sah man weiter sich nicht um, wenigstens enthalten hiervon die Acten nicht die geringste Spur.

Je mehr die Unruhen in Teutschland zunahmen, desto frecher wurden überhaupt die Räuberbanden, namentlich auch die Rotte, zu welcher der eben genannte Grone gehörte. Unter der Hand sind auch die Hauptmitglieder jener so zahlreichen Bande sicher bekannt gewesen, aber nur Furcht vor Raub, Brand, Mord, oder sonstigem Unglück hielt Jedermann in Schrecken, und von einer Anzeige zurück, von welcher ohnehin die Gerichte gleichfalls nicht einst gern etwas officiel vernahmen.

Ohne viele Aengstlichkeit konnte man indeß sich ganz dreist mit einem Anliegen für Geld an die Bande wenden, und erhielt sogleich eine willfährige Resolution. So wandte sich einst in jener Zeit eine Frau aus Sosmar an zwey Mitglieder derselben, um ihren nach Hildesheim gegangenen Mann erschießen zu lassen. Für 5 Thlr. wird man sogleich mit ihr eins, und noch vor Abend liegt an demselben Tage der Mann an einem Holze bey Himmelsthür niedergebohrt.

Aber nicht bloß grobe Todtschläge und Brand, sondern auch selbst fine Morde konnte man für Geld erlangen. So übernahmen es 4 andere Mitglieder jener Bande, einen kinderlosen siebenzigjährigen Wittwer, welcher ziemliche Lehnspertinenzien besaß, eiligst aus der Welt zu schaffen, weil er sich mit einem jungen raschen Bauermädchen wieder zu verheirathen grade im Begriffe stand. Wie der alte Lehnsvetter eben zur Verlobung mit mehreren Fremden ritt, gebehrdet sich sein sonst ruhiges Pferd auf einmal ganz rasend, und wird endlich des geschickten Reiters Meister. Bald stürzt dieser herunter, aber im Bügel hängen bleibend wird er dergestalt geschleift, daß er 24 Stunden darauf schon seinen Geist aufgeben muß.[21] Das sich todt geranntе Pferd ward erst am andern Tage vor dem Sosmar Holze wieder gefunden. Nach Verlauf von 4 Jahren wurde endlich die Sache und der Thäter entdeckt.

Ein 17jähriger Jüngling, schon Mitglied der Bande, hatte nämlich ein mit Pulver künstlich eingeriebenes Pechzunder=Pflaster in den aufgeschürzten Schweif des muthigen Rosses sehr heimlich zu stecken gewußt. Der Thäter entfloh nach Goslar, und damit war die Untersuchung dann abgethan.

So fielen an allen Seiten der hiesigen Gegend immer mehrere Opfer, bis endlich zu Ostern 1621 die befragliche, im Amte Meinersen und Peine zerstreut sich aufhaltende, Bande einen solchen Verlust erlitt, welcher bald glücklicherweise deren gänzliche Auflösung nach sich zog.

Zwey Boten waren nämlich von einem Juden aus Peine nach Hildesheim, und von dort ab weiter in das Amt Steinbrück gesandt, um einige Geld=Pöste, namentlich aus Hildesheim, 85 Thlr. abzuholen. Der eine Bote verräth die Sache

---

[21] Der bisherige Liebhaber der Braut soll zu der Vollziehung der Ehe auf dem Todtenbette, so wie zu der freiwilligen Anerkennung der Lehns=Erben, welche während 10 Monaten nach dem Tode noch etwa erfolgen würden, selbst und durch dritte Personen gerathen haben, aber der grämliche Kranke hat durchaus hiervon nichts hören wollen.

der Bande, und am Nachmittage der erwarteten Zurückkunft sind bereits 5 Pässe um Peine herum mit Räubern stark besetzt.

Erst kommt ein Landmann aus dem Braunschweigischen nahe bey einer Mühle, in den Acten die Hollandsmühle genannt, vorbey, und in dem Augenblicke, wie er den Paß betritt, zerschmettert eine Flintenkugel ihm schon den Rückgrad. –

Sein Geschrey wird sogleich durch sechs ihm in den Leib versetzte Spießstiche unterdrückt, und kaum hat man noch so viel Zeit, ihn in einen nahen Seitengraben zu wälzen, als nunmehr der rechte eigentlich erwartete Geldbote auf der Mordstelle würklich anlangt und gleichfalls, wie er bey dem Anblicke des frischen Blutes, und vor dem Röcheln des eben in den Graben geworfenen Sterbenden stutzt, von mehreren Schüssen tödtlich getroffen, niedersinkt.

Auf die gefallenen Flintenschüsse treffen jetzt die Räuber von den vier nächsten besetzten Pässen am Scheibenberge zusammen, und während dessen, daß diese nun mit dem langsam nachgegangenen zweiten Geldboten um den Betrag der Beute sich herum zanken, betritt ein Bürger aus Peine, Namens Dirsing, den fünften entlegenern noch besetzten Paß vor dem Sosmar Holze, und sogleich, wie er einem Buschwerke sich nahet, erhält er nicht nur eine Kugel in das Oberbein, sondern auch noch mehrere tödtliche Stiche unter Schimpfen und Murren, weil man statt der gehofften Geldrollen in seinem Tragkorbe nur elende Fische bey ihm findet, welche er auswärts zu der Osterfastenzeit herbey geholt hatte. Der vermeintlich von den Räubern schon für todt gehaltene Dirsing wird indeß von bald nachher eintreffenden Frachtfuhrleuten glücklicherweise aufgenommen, und verhört, wo er sodann gleich 7 seiner Räuber angiebt. Von der Stadt Peine erfolgen hierauf sofort nicht nur mehrere Verhaftungen, sondern auch vom Amte werden gleichfalls alldort noch 7 Räuber gefänglich eingezogen, von denen sich jedoch schon während der ersten 24 Stunden 2 selbst entleibten.

Auch das Amt Meinersen ergriff in Rietze und Stederdorf 4 von den Dirsingschen Mördern, unter welchen sich die berüchtigten Straßenräuber Landsberg, Korbmacher und Gillien befanden. Ersterer war der nämliche, welcher den vorhin erwähnten Einwohner aus Sosmar ohnweit Himmelsthür erschossen hatte, weshalb derselbe noch namentlich vor der Hinrichtung zu Ohoff durch das Rad mit glühenden Zangen gezwickt wurde.

Die Inhaftirten sowohl hier wie zu Peine wurden beynahe sämmtlich gleich Anfangs auf die Folter gespannt, weil schon einige derselben die Sache im ersten Verhör eingestanden hatten.

Selbst die Hildesheimschen Gerichte verfuhren äußerst schnell, und da man sich eiligst alles einander durch expresse Boten mittheilte, mithin jeder Complice durch Vorhalt von Special=Umständen gleich überzeugt wurde, daß die ganze Sache schon verrathen sey; so wurden sehr bald und leicht mehrentheils alle Theilnehmer der Bande ausgemittelt.

Ein allgemeines Ausreißen der noch nicht verhafteten Complicen erfolgte auf einmal, aber man erforschte demohngeachtet, ganz gegen den damaligen Geist der Zeit, genau weiter die Aufenthaltsorte der Entflohenen, und setzte das Gericht, wo sich ein Complice befand, sofort in Kenntniß.

Auf solche gehörige Anzeige ergriff fast jedes requirirte Gericht den bezeichneten, durch die Flucht nur noch mehr verdächtigen Complicen, und wo man daher solche traf, wurden diese ohne viele Weitläufigkeit sofort torquirt, und dann schnell hingerichtet [22], ohne vorher an das Gericht, worin der Raub geschehen war, abgeliefert zu werden.

Nur wenige blieben noch von der Bande ganz kleinlaut im Hildesheimschen sitzen. Alles was dagegen dem Galgen und Rade entgangen war, stand lange Zeit immer nur auf der Gränze, ohne festen Wohnort und allezeit auf flüchtigem Fuße. Die mehrsten der noch entkommenen Complicen schlossen indeß sich nachher an mehreres, in der Schlacht bey Lutter am Barenberge (1626) versprengtes befreundetes Militair, und leiteten vorzüglich unter andern 3 Haupteinbrüche an den hier benachbarten Gränzen.

Wenn es schon eine alte Wahrheit ist, daß wegen der Sünden der Väter die Strafe auf Kindes=Kinder sich erstreckt, so lag namentlich auch sehr häufig auf den Nachkommen der jetzt Entflohenen Räuber noch ein harter Fluch [23]. So z. B. genossen 4 Enkel dieser Entwichenen hier im Lande wieder Schutz, weil deren Großväter Schandthaten schon längst vergessen waren; aber sogleich sie Brodt leicht auf ehrliche Weise finden konnten, so zogen sie doch das Handwerk ihrer Großväter allen übrigen Beschäftigungen vor. Unter mehreren Diebstählen beraubten sie unter andern auch die Kirchen zu Sievershausen und Edemissen, und stahlen von Dorf zu Dorf bis vor Hildesheim. Dreyer von ihnen ward man bey einem Einbruche alldort endlich habhaft, welche am 10. Februar 1691 zu Steuerwald mit dem Strange hingerichtet wurden.

**Quelle:**

Niemeyer, Otto Carl, Ueber Criminal-Verbrechen, peinliche Strafen, und deren Vollziehungen, besonders aus älteren Zeiten / aus den Criminal-Acten des Königl. Hannov. Amts Meinersen größtentheils gesammelt, Lüneburg 1824, S. 71 ff.

---

[22] Auch die Frau aus Sosmar wurde wegen der von ihr bedungenen Ermordung ihres Mannes zu Poppenburg durch das Schwerdt hingerichtet, und mit ihr der zweite Thäter; der dritte fiel gleichfalls in Peine durch das Schwerdt; der vierte aber, welcher wegen anderer Verbrechen zu Lichtenberg saß, wurde wegen ganz vorzüglicher Atteste nach einer Geldbuße auf freyen Fuß gestellt.

[23] Zwey weibliche Descendenten der Räuber wurden des Landes verwiesen und unter dem Galgen zuvor noch mit dem Staupbesen gehörig regalirt.

# Zur Geschichte der Uetzer Scharfrichter

Kein Beruf, nicht einmal der des Totengräbers, ist schon seit jeher mit solcher geheimen Furcht und zugleich mit solcher zitternden Neugier umgeben worden wie der des Henkers. Im Mittelalter war dieser Mann, scharlachfarben gekleidet und mit drohendem Ernst einherschreitend, der Inbegriff aller schrecklichen Gewalt.

Im frühen Mittelalter übernahm der Fronbote als freier Mann und Mitglied des Gerichts die Aufgabe des Scharfrichters. Das Bestimmungswort „Fron" bedeutet: dem Herrn zugehörig, heilig. Noch zur Zeit des von Eike von Repgow zwischen 1215 und 1222 verfassten „Sachsenspiegels" war der Fronbote, auch „bodellus" genannt, ein angesehener Beamter. Mit dem Übergang des Gerichtswesens vom Volk auf den Staat oblag letzterem die Bestallung der Scharfrichter. Jeder Gerichtsbezirk, der den Blutbann besaß, konnte für Torturen und Hinrichtungen einen Scharfrichter anstellen oder einen solchen von einem anderen Bezirk ausleihen.

Dieses Amt wurde verliehen und die Bedingungen für ein solches in Konzessionen oder Lehnbriefen festgelegt. Die Voraussetzungen für die Übernahme eines Amtes war die Fähigkeit, Torturen und Hinrichtungen beanstandungslos vornehmen zu können. Diese bedingte deshalb sowohl eine fachgerechte Bedienung der Folterwerkzeuge und -maschinen wie auch eine einwandfreie Vollstreckung der Todesstrafe.

Diese urkundliche Belehnung ist beispielsweise für die Vogteien Beedenbostel, Bergen, Bissendorf, Eicklingen, Hermannsburg und Winsen a. d. Aller nachgewiesen, indem unter dem 9. August 1654 dem Scharfrichter in Celle Martin Henning und seinen Erben die Meisterei und Abdeckerei in eben diesen Bezirken übertragen wurde. Das Amt Meinersen wurde einem eigenen Bezirk zugeteilt. In der Konzession heißt es:

*Von Gottes Gnaden Christian Ludwig Hertzog ... Alß wir nach absterben des Scharfrichters, in unser Stadt Braunschweig Mr. Clauß Frölichen desselben Sohn M. Heinrich Frölichen die Meisterschaft und Abdeckerei in unserm Ambte Meinerßen, laut beiliegender abschrifft hinwieder verliehen und zugewendet ... 14. Nov. 1662*

Ein Schriftstück vom 6. Juni 1823 konkretisiert: „.... Wie 1. Zu Ütze hiesigen Amts eine Halbmeisterey sich befindet, welche im Jahre 1650 zuerst vom Hertzogen Christian Ludwig zu Braunschweig dem Scharfrichter Claus Fröhlich zu Braunschweig verliehen worden ..."

Der Scharfrichter und seine Gehilfen gingen ans Werk, nicht anders als jeder andere Mann, der sein Handwerk verstand. Freilich waren sie „unehrlich", mussten in der Wirtschaft auf einem dreibeinigen Hocker sitzen, weil auch der

Galgen dreibeinig war, und wurden mit Scheu betrachtet: So ein Freimann besorgte von den Gehenkten allerlei, was gut zu brauchen war für Magie und Medizin. Man vermutete, dass seine Stärke davon herrühre, dass er das Blut der Toten tränke. Seine Kunst: Mit einem einzigen, mächtigen Schlag trennte er ein Haupt vom Rumpf, knüpfte dem Galgenvogel die Schlinge und setzte das Werkzeug schnell und genau an, damit der verstockte Sünder ein Geständnis ablegen würde.

Und dies war der entehrendste Moment einer deutschen Hinrichtung: die Berührung durch den Scharfrichter. Zedlers „Großes Vollständiges Universal Lexicon aller Wissenschaften und Künste" aus dem Jahre 1745 erläutert, dass es dieser Beamte war – „Hencker, Scharffrichter, Nachrichter, Angstmann, Freymann, Meister Hämmerling" genannt –, „welcher die peinlichen Urtheile vollstrecket, und die Leibes- oder Lebens-Straffen ausübet. ... Die, so sich dazu gebrauchen lassen, sind von derer übrigen Menschen Gesellschaft mehrentheils abgesondert. Nicht aber dieses allein, sondern sie werden auch vor unehrlich geachtet, hiernächst ihre Kinder von Hand-Wercken und Zünfften etwa aus nachfolgenden Gründen ausgeschlossen: Weil sie um Lohn, Menschen ihres gleichen und ihre Glaubens-Genossen, von denen sie nicht beleidiget worden, nicht schlecht, sondern durch allerhand Marter um das Leben bringen; die gebunden sind, und sich nicht wehren können, auch wegen ihrer Mißhandlung ehrlos gehalten worden."

Schlicht wurde die besagte Person häufig „Meister" genannt. Die abfällige Bezeichnung „Schinder" oder die gleich bedeutende Berufsbezeichnung „Abdecker" nannte das Lexikon wohl bewusst nicht, obwohl die eher scherzhafte Namensgebung „Meister Hämmerling", wie die „Oeconomische Encyclopädie" aus dem Jahre 1777 mutmaßte, „vermuthlich von dem Abschlagen oder Abpuffen des gestorbenen Viehes" herrührte. Der Terminus „Nachrichter" gibt in etwa die Auffassung dieses Berufes wieder: Der Henker vollzog „nach", was im Gerichtsurteil mit dem Wort vollzogen wurde. Der Nachrichter ergänzte also de facto das richterliche Amt.

Die „Oeconomische Encyclopädie" von 1777 nannte Nachrichter, den Ausdruck der „anständigen Sprechart", Scharfrichter und Angstmann und trennte seltsamerweise die Begriffe „Henker" und „Scharfrichter": „Und der vornehmste Knecht dieses Scharfrichters, dessen Geschäft es ist, das Peinigen zu verrichten, den Staupbesen zu geben, und Verbrecher zu henken, wird der Henker genannt."

Scharfrichter galten überwiegend als so unehrliche Leute, dass es schwierig für sie war, eine andere Partnerin als eine Scharfrichtertochter zu finden, was zur Bildung weitläufiger Scharfrichterdynastien und zur verstärkten Absonderung von der Gesellschaft führte. Und in der Tat scheinen sich die Namen der Scharfrichterfamilien in und um Celle nur auf Pflug, von der Havestadt, Henning, Gebhard(t), Dernedde, Suhr, Funke, Miethling, Voß und Müller zu beschränken. Im Amt Meinersen sind es allein die Sippen Fröhlich, Funke und Suhr!

Oftmals wurden auch die Kinder von Handwerken und Zünften ausgeschlossen.

Es gab noch weitere unehrliche Berufe, nämlich die der Kesselflicker, Weber, Türmer, Bader (Barbiere), Schäfer, Abdecker (Schinder) und andere mehr. Innerhalb dieser Gruppe der Verfemten waren die Scharfrichter außer den Schindern die am meisten Verachteten.

Die „Büttel", wie die Scharfrichter in Norddeutschland auch genannt wurden, wurden allerdings nicht immer als unehrlich angesehen. Örtlich kann das sehr verschieden gewesen sein wie sich auch zeitlich diese Auffassungen gewandelt haben. Je weiter man allerdings in die Neuzeit kam, desto einheitlicher und ablehnender verhielt man sich dem Scharfrichter gegenüber.

Solange Scharfrichter nur Hinrichtungen mit dem Schwert vollzogen, konnten sie noch bedingt als achtbar gelten; es gibt dafür Zeugnisse aus dem 16. Jahrhundert. Nahmen sie aber Hinrichtungen mit dem Strang vor oder mussten sie rädern, so wurden sie als unbedingt unehrbar angesehen.

Bereits die – auch zufällige – Berührung durch den Scharfrichter konnte Menschen ihre Ehre rauben und sie untauglich für den Verkehr mit der Gesellschaft machen. Der im 17. Jahrhundert zu beobachtende Übergang vom Strick und Rad zum Schwert war nicht zuletzt das Ergebnis ständiger Eingaben von Angehörigen Verurteilter um Umwandlung einer entehrenden Strafe in eine nicht entehrende. Die öffentliche Auspeitschung am Pranger mit Ruten – der so genannte Staupenschlag – entehrte den Delinquenten durch die Berührung des Henkers oder seiner Knechte beim Festbinden.

Eine derartige Schande ging auch an den nächsten Verwandten des Delinquenten nicht spurlos vorüber.

Dem Scharfrichter zur Seite standen Halb- oder Mietmeister, die er vorzüglich mit den niederen, „unehrlichen" Diensten betraute. Dazu zählten insbesondere die Vollziehung des Staupenschlags und der Landesverweisung, das Anlegen von Folterinstrumenten (der Scharfrichter sollte die Tortur möglichst nur beaufsichtigen) und auch des Strangs. Als die immer zur Verallgemeinerung neigende Volksmeinung den Scharfrichter im Verlauf des 16. Jahrhunderts einhellig als unehrlich ansah, waren die unehrlichen Aufgaben fast ausschließlich Sache der Knechte. Nur wenige Ausnahmen hat es davon noch gegeben. Hinzu kam noch, dass dem Scharfrichter weitere Aufgaben übertragen wurden, die mit seinem Amt nichts zu tun hatten. Mit der Abdeckerei, der Entfernung und Verarbeitung von gefallenem Vieh, der Kafillerei, wie sie im Hebräischen und auch in der Gaunersprache genannt wurde, konnte der Scharfrichter seine Einkünfte erhöhen. Im Verlauf des 16. Jahrhunderts erhielten die Scharfrichter ein Monopol für die Abdeckereien, was sie an etlichen Orten verpflichtete, jährlich eine Anzahl von feinen Handschuhen aus Hundsleder an die Geistlichkeit oder die Ratsvorsteher zu liefern. Die Entfernung von Unrat, Reinigung von Kloaken und selbst die Aufsicht über Freudenhäuser wurden den Scharfrichtern übertragen.

Die „Oeconomische Encyclopädie" von 1777 wusste über die Verrichtung der niederen Arbeiten zu berichten: „Obwohl solche Verrichtung auch an einigen Orten die Hirten und die Bauern selbst, in Ermangelung einer solchen Person bisweilen thun: so ist doch eine von den verächtlichen und ekelhaften in der Polizey und Wirthschaft aber dennoch unentbehrlichen Verrichtungen, welche mit dem Scharf- und Nachrichteramte, welches eigentlich aus schrecklichen und grausamen Verrichtungen besteht, durch obrigkeitliche Anstalt insgemein verknüpft ist: und wird also von den Scharfrichtern entweder bisweilen selbst, oder doch durch ihre Knechte, ausgeübt. Daher denn auch diese Personen von diesen zweifachen Amtsverrichtungen, und denen darunter begriffenen besondern Stücken, noch andere Nahmen bekommen."

Ein kaiserliches Patent des Jahres 1731 unternahm den Versuch, die Tätigkeit des Scharfrichters als „ehrlich" darzustellen: „Sonst aber wird in den Rechten das Amt eines Scharfrichters als ein gemeines angesehen, und kann im Nothfall Jemand von der Obrigkeit dazu gezwungen werden. Wer mit dem Scharfrichter isset und trinket, wird darum nicht unehrlich; so wie auch demjenigen, der bereits unter seinen Händen gewesen ist, nichts vorgeworfen werden soll, wenn er zumahl durch einen nachfolgenden richterlichen Ausspruch von der ihm vorher zwar zur Last gelegten Beschuldigung frey und los gesprochen worden."

Dies änderte aber nichts daran, dass der Scharfrichter und seine Anverwandten und Nachkommen noch bis in das 19. Jahrhundert hinein vielerorts als „unehrlich" galten. Die „Unehrlichkeit" hatte zum einen eine juristische Dimension, und Scharfrichter waren aus den Zünften oder vom Bürgerrecht ausgeschlossen oder als Nutznießer von Testamenten, Schenkungen etc. leichter anfechtbar. Die soziale Dimension der „Unehrlichkeit" umfasste eine „Brandmarkung", weshalb sich ein Scharfrichter beispielsweise in Gaststätten nur an einen bestimmten Tisch mit besonderem Geschirr setzen durfte oder auch einen ausschließlich für ihn bestimmten Krug (in Braunschweig war dieser angekettet) besaß.

Bereits zu Beginn des 19. Jahrhunderts haben viele Scharfrichternachkommen Eingang in das bürgerliche Leben gefunden und es spätestens nach einer oder zwei Generationen zu Ansehen gebracht, das frei von Vorurteilen veralteter Ehrbegriffe war.

Eigentümlich erscheinen die vorliegenden Hinweise auf den Erwerb der beruflichen Qualifikation und den Umgangston. Dort, wo das Richtschwert benutzt wurde, war ein „Erlernen" unumgänglich. Alte Urkunden sind es, die uns darüber interessanten Aufschluss geben. Das mittelalterliche Hamburg, in dessen Mauern jahrelang die Hinrichtungen von gefangenen Seeräubern gleich dutzendweise an der Tagesordnung waren, bildete früher so etwas wie eine „Hochschule" für Henker. Aus allen Teilen des Landes strömten hier die Scharfrichtersöhne zusammen, um ihre Studien zu machen. Besonders Eifrige verdingten sich sogar als gemeine Henkersknechte, um die Prozedur in möglichster Nähe anschauen zu können. Dabei bedeutete ein solcher Entschluss eine ausgesprochene Degradierung, denn die alten Henkersfamilien besaßen einen starren Berufsdünkel, der fast dem Adelsstolz gleichkam.

Erklärlicherweise gab es unter den Henkern auch eine vererbte Fachsprache. Das Auspeitschen hieß ganz unverdächtig „fegen", und wer ein Meister in diesem Fach war, der „fegte reinlich". Ferner verwandte man die Ausdrücke „zierlich zeichnen", d. h. brandmarken, „vernünftig die Glieder versetzen", d. h. auf der Streckbank foltern, „einen feinen Knoten schlagen", d. h. hängen, „rasch absetzen", d. h. enthaupten, „artlich mit dem Rade spielen", d. h. rädern, usw.

Nicht unerwähnt bleiben sollte, dass tiermedizinische wie auch chirurgische „Nebentätigkeiten" unter den Scharfrichtern durchaus verbreitet waren, denn diese hatten im Zuge ihrer Arbeit Kenntnisse über Körper gewonnen, die durchaus gewinnbringend in Heiltätigkeiten eingebracht werden konnten.

Bei Untersuchungen zur Genealogie der Scharfrichterfamilien fällt auf, dass bestimmte sich über lange Zeit an einem Ort gehalten haben. In der Literatur wird häufig auf die Familie Suhr hingewiesen, die über ein Jahrhundert in Celle das Amt der Scharfrichter und Abdecker versehen hat.

Die Celler Scharfrichter wohnten außerhalb der Stadtmauern in der „St.-Georg-Straße" in der „Masch", die der Vorstadt Blumlage zugehört. Im Einzelnen amtierten dort: Hans Pflug (um 1570-1610), Claus von der Havestadt (1627-1637), Hans Kerner (1638-um 1640), Hinrich Henning (etwa 1640-1654), Martin Henning (1654-um 1665), Carsten von der Havestadt (1668-1678), Bendix Gebhard(t) (1678-1693), Jürgen Tornedde (Dernedde) (1693-1695), Franz Melchior Voigt (1696-1700), Jacob Sauer (auch Suhr geschrieben) (1700-1706), Christoph Philipp Suhr (1706-um 1735), Johann Ludolph Suhr (um 1735-um 1770), Johann Philipp August Suhr, Johann Gerhard Christoph Funke, Johann Heinrich Miethling.

Johann Ludolph Suhr, ältester Sohn des Celler Scharfrichters Christoph Philipp Suhr, wurde in Celle um 1709 geboren und starb in der Blumlage am 7. April 1769. Dieser heiratete am 24. November 1740 Gertrud Maria Funke, eine Tochter des Scharfrichters in Uetze, Jürgen Wilhelm Funke. Sein Sohn (offenbar aus einer ersten Ehe) Johann Philipp August Suhr, geboren im Oktober 1737, trat in Celle die Nachfolge an. Im Jahre 1774 heiratete er Sophia Dorothea Funke, Tochter des Scharfrichters in Uetze Johann Christoph Funke. Er starb in der Blumlage am 23. Oktober 1800.

Folgende Nachkommen entstammten dieser Ehe:

1. Rocher Jacob Eberhard Ludolf, * 19.06.1775, † 02.04.1807
2. Ilse Dorothea Maria Elisabeth, * 02.08.1776, † 05.03.1799
3. Johann Philip Gabriel Hermann, * / † 12.08.1777
4. Margaretha Sara Elisabeth, * 28.12.1778, † 10.06.1779
5. Georg Friedrich, * 19.09.1780, † 03.05.1781
6. Gusta Henrica Margaretha, * 07.05.1782, verh. am 05.05.1801 mit Meister Johann Diederich Poel, Scharfrichter in Neustadt/Rbg.
7. Heinrich Andreas Gottfried August, * 13.05.1783, † 29.07.1852, verh. am 04.10.1807 mit Catharine Dorothea Regine Müller, Tochter des Kaufmanns Christoph Friedrich Müller und Enkelin des Pastors Johann Georg Wildes zu Beedenbostel
8. Ursul Wiebardus Gerhardt, * 21.10.1784, † 27.10.1784

9. Anna Sophie Christine Rosina, * 19.11.1785, verh. am 27.11.1819 mit dem ehemaligen Soldaten Johann Heinrich Fischer
10. Gotthelf Christian Ernst, * 06.08.1787, verh. am 19.02.1816 mit Marie Sophie Juliane Margarethe Hemme
11. Johann Magdall August, * 04.09.1789, † 30.01.1790
12. Johann Philipp Christian, * 17.10.1790, verh. am 08.04.1810 mit dem Musiker Johann Joseph Martin
13. Johann Philipp Christian, * 20.09.1792, verh. mit Amalie Catharine NN, aber nicht in Celle, diese geb. 1760 nicht in Celle, † 06.07.1835

Die Exekution des wegen Totschlags verurteilten Landchirurgus Johann Wilhelm Holstein am 4. Februar 1791 auf dem Galgenberg vor Celle nahm der Sohn des Nachrichters, „ein junger Mensch von 16-17 Jahren", vor und verrichtete auf diese Weise sein Meisterstück. Dem Alter nach handelte es sich um das älteste der 13 Kinder aus dieser Ehe, Rocher Jacob Eberhard Ludolf Suhr. Dieser war am 19. Juni 1775 geboren und somit erst 15 Jahre alt gewesen, als er dem Holstein auf dem Richtplatz vor dem Hehlentor Celles mit dem Schwert den Kopf vom Rumpf abtrennte.

Im Jahre 1808 wurde Johann Gerhard Christoph Funke als „dortiger herrschaftlicher Nachrichter" genannt. Die Konzession, die sich auch über die Ämter Westen, Thedinghausen und Meinersen erstreckte, datiert vom 30. Dezember 1808. Um den 18. April 1809 beantragte der Nachrichter Funke in Celle die Anlegung einer Halbmeisterei in den Amtsvogteien Bergen und Hermannsburg.

Nachdem der zum Debitwesen weiland Nachrichters Johann Gerhard Christoph Funke allhier bestellte Curator bonorum et ad lites, Cammerconsulent Doctor Rittmeier zu Hildesheim, seine Schluß-Curatel-Rechnung vom 1sten März 1822 bis ult. April d. J. allhier eingereicht, so bleibt den Creditoren nachgelassen, solche binnen 4 Wochen a dato sub poena praeclusionis einzusehen, und ihre etwanige Monita darüber allhier einzureichen.

Erkannt Zelle, den 9ten Mai 1825.
Königliche Großbrit. Hannoversche Burgvoigtey.
Schär.     Kaufmann.

Funke, ursprünglich mit der Meisterschaft im Amt Meinersen betraut, amtierte bis zu seinem Tode im Jahre 1820 und lebte auch in der Blumlage vor Celle, dann trat 1820 Johann Heinrich Miethling aus Hameln die Nachfolge an (verheiratet mit Sophie Miethling, geb. Kaiser), bei dem sich Nachrichterei, Meisterschaft und Abdeckerei über die gleichen Ämter erstrecken sollte wie bei seinem verstorbenen Vorgänger (Konzession vom 25. September 1820).

← *Zellescher Anzeiger nebst Beiträgen vom 18. Mai 1825. Repro: Blazek*

Unter den gleichen Bedingungen, wie die Fröhlichs sie gehabt hatten, wurde „mittels Concession vom 1sten Jan. 1707 ein Nachrichter Namens Jürgen Wilhelm Funke damit beliehen, dessen Nachkommen bis zum Jahre 1820 diese Halbmeisterey als ein Lehen behauptet, und weil zu Celle sich aufgehalten, die Halbmeisterey zu Uetze verpachtet. Nach Absterben des letzten Funke ist die Concession zur Nachrichterey und Abdeckerey dem Nachrichter Johann Heinrich Miethling verliehen."[24]

---

[24] Nds. HptStA Hann. 80 Lüneburg I, Nr. 224.

Am Schluss folgte vor 1834 der im Jahre 1790 in Heiligenstadt geborene Heinrich Müller, der sich zwar noch Scharfrichter nannte, in Celle und Uetze jedoch nur die Abdeckerei betrieb und auch sonst nie eine Hinrichtung vollzog. Müller starb im Jahre 1877. Der Eintrag in dem Standesamt der Stadt Celle durch den Stadtbeamten Stegemann beweist, wie man bemüht war, die Vergangenheit zu verschweigen. Die Totenfrau Wähling aus der Blumlage Nr. 99 zeigte an: „Der Thierarzt Heinrich Müller, Witwer, 87 Jahr alt, katholischer Religion, Celler Masch Nr. 16, geboren zu Heiligenstadt, Stand und Namen der Eltern sind völlig unbekannt, am 26. May 1877 in seiner Wohnung verstorben."

Der Nachfolger Lorenz Müller ist kein Nachkomme des alten Nachrichters, er hat wie sein Vorgänger keine Hinrichtungen mehr vollzogen. Man ließ, wie noch Quittungen beweisen, den Scharfrichter aus Hannover kommen und zahlte aus eigener Tasche die Reisekosten. Lorenz Müller stammte aus der Halbmeisterei zwischen Elze und Bennemühlen im früheren Landkreis Burgdorf, wo er als Sohn des Nachrichters Christian Müller und seiner Ehefrau Charlotte, geb. Corbach, zur Welt gekommen war. Er führte in dem Celler Adressbuch die Berufsbezeichnung „Ökonom". Sein Sohn trieb Pferdehandel und besaß ein Fuhrgeschäft. Der Handelsmann Glantrop, der Tabakdreher Christian Ebel und die Witwe Stelter werden in den Adressbüchern als Mitbewohner des Hauses erwähnt.

In den Beziehungen zur Mitwelt hat die Celler Vorstadt Blumlage die Inhaber des düsteren Amtes nichts an Zurücksetzung spüren lassen. Da war die Kirche, die in ihren Konfirmationslisten die Kinder der Nachrichterei genauso gut aufführte wie die der anderen Bewohner. Dort wurden in den Kirchenbüchern die Trauungen und Taufen gewissenhaft eingetragen, und die Namen der Paten beweisen, dass sich stets gute Nachbarn fanden, die sich zum Gevatterstehen bereiterklärten. In der Liste der Gestorbenen und Begrabenen bezeugt eine Anmerkung des Pastors der Jahre 1876 bis 1882, Georg Heinrich Eduard Ahrens, dass man auch damals schon großzügig über die Bekenntnisse hinwegsehen konnte: „Der Verstorbene war katholischer Confession, aber auf Wunsch der Angehörigen auf hiesigem Kirchhof durch mich bestattet. Pastor Ahrens."

Man fühlte sich wohl auf der Blumlage. Im Jahre 1964 berichtete ein 88-jähriger Celler Bürger, der noch viele Geschichten über die Strafvollstreckung „von einem uralten Onkel" gehört und mit dem erstaunlichen Gedächtnis alter Leute festgehalten hatte, dem Heimatkundler Friedrich Barenscheer, dass der Nachrichter Lorenz Müller ihm gesagt habe: „Ick hebbe in de Niestrate ewohnt, dor pass ick nich hen. Nu bin ick wedder in de Masch, un dat is gaut!"

In der Akte des Magistrats der Stadt Celle, betreffend den Betrieb der Abdeckerei, sind die gegen 1900 gültigen Rechtsvorschriften abgelegt. Da finden wir zunächst das Ausschreiben der Königlichen Landdrostei zu Lüneburg an die Obrigkeiten und die besonderen Polizeibehörden des Bezirks, „die bei der Fortschaffung von gefallenem Vieh anzuwendenden Vorsichtsmaßregeln betreffend", vom 1. Juli 1843 und eine ähnliche Verordnung aus Lüneburg vom 26. Januar 1873.

Danach folgt ein undatiertes Gesuch des Nachrichters Müller. In einem weiteren Schreiben, vom 28. Oktober 1882, trägt der Ökonom Heinrich Spring aus der Masch, Hausnummer 16, vor, dass er vom Abdecker Müller dessen Abdeckereigeschäft übernommen habe.

Unter dem 14. November 1892 finden wir folgende Notiz des Magistrats der Stadt Celler: „An Kgl. Garnison-Verwaltung hiers. / Der pp. erwidern wir auf das Schreiben vom 11. dM. (Nro 1044) ergebenst, daß im Stadtkreise Celle das Abdeckereigewerbe überall nicht betrieben wird; soviel uns bekannt, befindet sich dagegen eine Abdeckerei im Bezirke der Gemeinde Altencelle. Der Abdeckereizwang dürfte allgemein schon durch das Gesetz vom 17 Decbr. 1872 aufgehoben sein.

An Roßschlächtereien in u. bei Celle sind uns nur diejenigen von D. Tündermann (Fritzenwiese 46$^B$) u. W. Tündermann (Emigrantenstr. 1) bekannt."

1893 war die Frage zu klären, ob der Abdeckereibesitzer Müller, Masch, „einen Anspruch auf unentgeltliche Überlassung alles todten und gefallenen Viehes im Stadtkreise hat, oder ob die Kadaver gefallener Thiere von jedem Besitzer beliebig verwerthet werden können".

Aufschlussreich ist insbesondere das Schreiben des Landrats vom 18. Mai 1900, welches mit einem „Eilt"-Vermerk versehen wurde:

*Es kommt nur die Abdeckerei in der Altenceller Feldmark in Frage, welche von dem in der Stadt Celle, St. Georgstr. 16 wohnhaften Lorenz Müller betrieben wird.*

*Müller hat die fragliche Abdeckerei bereits vor dem Jahre 1866 ohne Koncession betrieben und nach dieser Zeit weder um eine solche nachgesucht noch erhalten.*

*Die Abdeckerei soll, wie Müller hier 1899 zu Protocoll erklärt hat, früher fiskalisch und von ihm gepachtet gewesen sein. Im Jahre 1873 hat Müller das Pachtverhältniß gekündigt und die Abdeckerei dann so weiter betrieben.*

Am Rand wurde am 27. Mai 1900 vermerkt: „Wenn die Müller'sche Abdeckerei den polizeil. Bestimmungen genügt, so ist kein Verscharrungsplatz nöthig." Und tags darauf: „Herr Lorenz Müller ist krank, es wird aber dessen Sohn Carl, welcher die Abdeckerei betreibt, kommen. 28/5.00. Wasmann, Magistratsd."

Zu Beginn des 20. Jahrhunderts waren das Behandeln von Tierkadavern und der Betrieb des Abdeckereigewerbes im Landkreis Celle durch die Regierungspolizei-Verordnung vom 30. April 1900 festgelegt (Auszug):

*Behandlung von Thierkadavern.*

*§.1.*

*Jeder Besitzer eines gefallenen oder ohne den Zweck der Nutzung als Schlachtvieh getöteten Stückes Viehs mit Ausnahme von kleineren Haustieren (Katzen, Hunde, Kaninchen, Geflügel pp.) ist verpflichtet, binnen 24 Stunden entweder einem Abdecker oder einer concessionirten Düngerfabrik behufs Abholung des*

62

*Cadavers Anzeige zu machen, bezw., wenn er den Transport selbst übernehmen will, den Cadaver hinzuschaffen, oder, falls er die Thätigkeit eines Abdeckers oder einer solchen Fabrik nicht in Anspruch nehmen will, den Cadaver unschädlich selbst zu beseitigen.*

*In letzterem Falle hat er sofort dem Gemeinde= bezw. Gutsvorsteher Anzeige zu erstatten.*

*Bis zur Abholung des Cadavers durch den Abdecker oder die Düngerfabrik hat er für die unschädliche Aufbewahrung desselben Sorge zu tragen. Den Anordnungen des Gemeinde= bezw. Gutsvorstehers über die Beseitigung der Cadaver ist Folge zu leisten.*

§.2.

*Falls eine Abhäutung und Ausnutzung des Cadavers beabsichtigt wird, darf diese nur unter Beachtung nachstehender Vorsichtsmaßregeln erfolgen:*

1.  *Personen, welche offene Verletzungen an Händen und Armen haben, dürfen zu diesen Arbeiten nicht verwendet werden;*

2.  *die Häute müssen, sofern sie nicht unmittelbar an eine Gerberei abgegeben werden, sogleich in einem der Zugluft ausgesetzten Räume zum Trocknen aufgehängt oder in Kalkmilch eingelegt oder eingesalzen werden;*

3.  *Sehnen, Fleisch, Knochen und Fetttheile von Thieren, welche an einer ansteckenden Krankheit verendet sind, dürfen weder getrocknet noch überhaupt im rohen Zustande verwerthet, sondern müssen vor weiterer Verwendung gekocht bezw. geschmolzen werden.*

§.3.

*Wenn eine Ausnutzung des Cadavers nicht beabsichtigt wird, so ist derselbe durch Verbrennen oder tiefes Vergraben unschädlich zu beseitigen. (...)*

Am 20. Dezember 1910 wurde zwischen dem Kreisausschuss des Landkreises Celle und dem Magistrat der Stadt Celle einerseits und der Firma Lorenz Müller & Co., Kreisabdeckerei Celle, Kommanditgesellschaft zu Adelheidsdorf, ein Vertrag abgeschlossen, der die Grundlage für die Errichtung der Abdeckerei in Adelheidsdorf darstellen sollte.

Lorenz Müller sen. lebte seinerzeit in Uetze, wo er die Abdeckerei Uetze unterhielt, deren Einzugsbereich sich über den östlichen Teil des Kreises Burgdorf, den westlichen Teil des Kreises Gifhorn und den südlichen Teil des Kreises Celle erstreckte. Mit der Absicht, seinen Geschäftsbezirk zu erweitern, errichtete Müller in Adelheidsdorf an der Provinzialchaussee Celle-Hannover eine neue Abdeckerei.

Mit der Inbetriebnahme der Kreisabdeckerei Celle am 1. November 1911 in Adelheidsdorf trat eine neue „Polizeiordnung über die Beseitigung von Tierleichen" in Kraft. Sie brachte in neun Paragraphen nicht viel Neues, hob aber die Bedeutung der neu errichteten Abdeckerei hervor.

Müllers Abdeckerei in Uetze wurde weiterhin betrieben. Diese befand sich an der Celler Straße 14, dicht bei der Fuhse. Die Gebäude stehen zum Teil noch, sind aber unbewohnt und neigen zum Verfall. 1931 ging das Anwesen an den 1895 im Hoyaschen geborenen Heinrich Hambrock über. Der war Bauunternehmer und starb im Kriegsjahr 1942. Im Familienbesitz befindet sich ein Fotoalbum mit Porträtfotos, in dem einleitend geschrieben steht: „Zur steten Erinnerung an Weihnachten 1917. Gewidmet von Frieda Müller, geb. Scheida, Celle."

*Der Bereich zwischen Fuhse (links) und Abdeckerei heute (2008). Eine eher idyllische Gegend am Rand des Dorfes.*                    *Foto: Matthias Blazek*

Heute befindet sich an der Stelle der Abdeckerei in Adelheidsdorf übrigens die überregional bekannte Firma Stankiewicz.

Gertrud Schumacher, die frühere Vorsitzende des Heimatbundes Uetze, weiß über die Abdecker in Uetze zu berichten, dass sie geschwärzte Hände hatten und geächtete Personen waren, die nur auf den paar billigen Plätzen unter dem Turm, wo halt keine Nummern an den Plätzen waren, sitzen durften.

Im Uetzer Kirchenbuch 1670-1723 heißt es auf Seite 204 (Gestorbene und Begrabene von Anno 1712):

*Hinrich Frölich gewesener Scharff Richter alhie ist den 23sten Novembr: gestorben, und darauff den 25sten Novembr: Begraben seines Alters 73 Jahr.* *G. s. s. a. S. g. u. s. l. w. A.* [denkbar ist eine Abkürzung aus dem Umfeld des Gottesbekenntnisses: gratia spiritus sancti applicatrice ..., die zuteilende Gnade des Heiligen Geistes ...]

Und im „Kirchen-Buch oder Verzeichniß derer so im Kirch-Spiele Ütze copuliret oder getrauet, getauffet und begraben, angefangen auff das neue Jahr Anno 1724 von Hermanno Conrado Christiani Twülpsteto-Wolffenbüttel" finden wir unter den Gestorbenen und Begrabenen von anno 1749 (S. 207):

*35) Hans Niklaus Frölich gewesener Abdecker allhier ist d. 22sten 8br. [Octobris, Oktober] an der hier grashirenden Ruhr Todes verblichen, und d. 25st. ejusdem in der Stille des Tages beerdiget worden, seines Alters 76 Jahr weniger 3 Wochen. G. s. s. a. S. g. u. S. X. W. A.*

Weitere Schriftstücke der behördlichen Akte (Hann. 74 Meinersen Nr. 1179) nennen außerdem Namen von Nachrichtern in Uetze:

3. Mai 1728: „... haben wir den Nachrichter Jürgen Wilhelm Funke zu Ütze ..."

8. Juli 1746: Johann Christoph Funke machte sein „Meisterstück"

14. August 1775: „... beygehendes Supplicatum Johann August Conrad Funcke ältesten Sohnes des verstorbenen Nachrichters Funcke ..."

26. April 1831: Nachrichter Müller zu Celle und dessen Pächter Kolmeier zu Uetze gegen den Einwohner Rasfeld aus Abbeile wegen Tötens und Abledern von Vieh

Im Jahre 1844 heiratete Heinrich Ludolf Nord, Sohn des verstorbenen Pächters der Meisterei zu Uetze Matthäus Nord und dessen Ehefrau, Elise, geb. Fröhlich, Margarethe Fröhlich, eins von 13 Kindern des Scharfrichters Christian Ludwig Fröhlich (* Münder am Deister 14. Juli 1799, † Hoya 11. März 1870) und Dorothea Elisabeth („Elise") Lefhelm (Aufgebote vom 28. Juli und 4. August 1844).

*Das frühere Abdecker-Wohnhaus an der Celler Straße mit den Stallungen, um 1960. Im Vordergrund sind ein paar Kinder mit dem Schlitten zu sehen.*     *Foto: Helga Hambrock*

**Literatur:**

Richard J. Evans, Rituale der Vergeltung – Die Todesstrafe in der deutschen Geschichte 1532-1987, Hamburg 2001, S. 87 ff.

Jürgen Martschukat, Inszeniertes Töten – Eine Geschichte der Todesstrafe vom 17. bis zum 19. Jahrhundert, Köln 2000, S. 29 ff.

Ralf Busch: „Zur Geschichte der Celler Scharfrichter", Sachsenspiegel 19, Cellesche Zeitung vom 22. Mai 1965, mit zusätzlichen Hinweisen im Sachsenspiegel 36, Cellesche Zeitung vom 18. September 1965

Adolf Meyer: „Wer mit dem Scharfrichter isset und trinket ...", Sachsenspiegel 4, Cellesche Zeitung vom 28. Januar 1972

Hans-Heinrich Grunwaldt: „Historisches vom Henkeramt", Der Sachsenspiegel, Cellesche Zeitung vom 30. Juni 1932

Heinz Deichert: Geschichte des Medizinalwesens im Gebiet des ehemaligen Königreichs Hannover, Hannover und Leipzig 1908, S. 154 f.

Johann Glenzdorf; Fritz Treichel: Henker, Schinder und andere arme Sünder, 2 Bände, Münder/Deister 1970, Band 1, S. 159-177

Katharina Seidel: Scharfrichter Fröhlich, Hoyaer Hefte, Schriftenreihe des Heimatmuseums Grafschaft Hoya e.V., Nr. 4, Hoya o. J. (1995), S. 1 (Thema: Christian Ludwig Fröhlich)

Gisela Wilbertz: „Scharfrichter und Abdecker – Aspekte ihrer Sozialgeschichte vom 13. bis zum 16. Jahrhundert –", in: Randgruppen der spätmittelalterlichen Gesellschaft, herausgegeben von Bernd-Ulrich Hergemöller, 2. Aufl., Warendorf 1994, S. 121-156

**Quellen:**

Niedersächsisches Hauptstaatsarchiv Hann. 74 Bergen Nr. 665 und 666
Niedersächsisches Hauptstaatsarchiv Hann. 74 Meinersen Nr. 1179

*Der Galgenberg bei Ohof mit dem Findling am 1. September 2008.*          *Foto: Blazek*

# Die letzte Hinrichtung bei Ohof

Die letzte Hinrichtung an der ehemaligen Hinrichtungsstätte des Amtes Meinersen wurde am 27. Februar 1829 vollzogen. Aufschluss gibt die Gerichtsakte zu dem Mordfall Hornbostel. Dort ist das umfassende Gutachten der Justizkanzlei in Celle gleich vorgeschaltet:

*Allerdurchlauchtigster Großmächtigster*
*König,*
*Allergnädigster König und*
*Herr!*

*Gegenwärtiger, allerunterthänigster, Vortrag betrifft den, wegen Mordes bei dem Amte Meinersen in Untersuchung befindlichen Johann Hennig Wrede aus Eltze. Die stattgehabte Untersuchung hat am 18ten Junius v. J. ihren Anfang genommen, seit welchem Tage sich Inquisit in Haft befindet. Am 6ten August gingen die Acten allhie ein, welche am 29sten desselben Monats, nach Beendigung einiger, eine nachträgliche Instruction bezielender, Schritte, dem erwählten Vertheidiger zur Einsicht vorgelegt sind. Auf Antrag dieses wurde unter dem 8ten September ein Ärztliches Ober-Gutachten von verschiedenen, bei der Chirurgischen Schule zu Hannover angestellten, Ärzten erfordert, welches am 26ten October einging. Anderweit sind sodann am 6ten November die Untersuchungs-Acten dem Vertheidiger ad inspiciendum verstattet und ist von ihm unter dem 14ten Januar a. c. die Defension exhibirt. Ein, gegenwärtig annoch erforderlich erachtetes, mittelst Schreiben vom 19ten Januar erbetenes, Gutachten der Medicinischen Facultät zu Göttingen ging am 11ten April ein, worauf Defensor, nach genommener Einsicht desselben, am 23ten April unter Bezugnahme auf die bereits eingereichte Defension, zum Erkenntnisse submittirt hat.*

*I. Persönliche Verhältnisse und früherer*
*Lebens-Wandel des Inquisiten.*

*Johann Hennig Wrede, auch Schäfer, von einem Beinamen der Stelle, aus welcher er gebürtig ist, genannt, der eheliche Sohn rechtschaffner, jetzt verstorbener Aeltern, von denen der Vater als Brinksitzer und Rademacher zu Eltze, Ambts Meinersen, wohnte, ist alldort am 25sten July 1797 gebohren. Hinsichtlich seiner Erziehung ist von den Aeltern nichts verabsäumt, er vielmehr zum fleißigen Besuche der Schule angehalten worden. Demunerachtet soll er, natürlicher Unfähigkeit halber, wie es in dem Pastoral-Atteste lautet, in allen Theilen des Jugend-Unterrichtes gegen seine Mit-Schüler zurückgeblieben seyn. Nach seiner Confirmation ist er noch einige Jahre im väterlichen Hause verblieben, hat sodann bei den Hauswirthen Thies in Hassede und Wiedenroth in Höven, respective 2 und 1 Jahr gedient, nächstdem bei seinem Vater das Rademacher-Handwerk erlernt, worauf er in Militair-Dienst getreten ist und 6 Jahre, theils in dem vormaligen Garde-Bataillon, theils im Garde-Grenadier-Regimente, ge-*

*dient hat. Die ihm von seinen vormaligen Militair-Vorgesetzten, so wie auch die, von seinen gewesenen Dienstherrn, ihm ertheilten Zeugnisse lauten vortheilhaft.*

*Nach seiner Entlassung aus Militair-Diensten ist Inquisit nach seinem Geburts-Orte zurückgekehrt und hat sich seitdem hier bey seinem älteren Bruder, der nach des Vaters Tode die Stelle angenommen, aufgehalten. Diesem ist er, so wie ein dritter jüngerer Bruder, bei dessen Rademacher-Profession behülflich gewesen und hat hierdurch, so wie durch Bretter-Schneiden, sein reichliches Auskommen gefunden.*

*Inquisit ist unverheirathet.*

*Seine Vermögensverhältnisse ...*

## II. Untersuchung
### A. Veranlassung und Anfang derselben

*In der Nacht vom 17$^{ten}$ auf den 18$^{ten}$ Junius ließ der Doctor med: Bärner zu Meinersen dem dortigen Amte anzeigen, wie er im Begriffe stehe, nach Eltze sich zu begeben, wo einer Dienst-Magd der Hals abgeschnitten sey. Auf diese Meldung verfügte sich sofort der Amtmann Niemeyer nach Eltze, allwo er um 3 Uhr Morgens eintraf und in dem, vor dem Dorfe belegenen, Havekostschen Anbauer-Hause die Verwundete, die bei dem Hauswirth Gerlhof zu Eltze in Dienst stehende Magd Hornbostel, und bei ihr den Dr: Bärner vorfand. Dieser erklärte den Zustand jener für sehr gefährlich und eine Befragung derselben, ehe nicht die durchgeschnittene Luftröhre zusammen geheftet seyn werde, für unthunlich. Nach angelegtem Verbande ließ indessen der Arzt den, einstweilen mit andern Maaßregeln beschäftigten Beamten, benachrichtigen, wie man jetzt die Verwundete befragen könne und solches schleunigst thun möge, da sie, leise zu flüstern, im Stande, und bey völliger Besinnung sey. Es erfolgte nunmehr eine Vernehmung derselben über 19 Fragen. Die hierauf ertheilten, größtentheils augenscheinlich mit den eigenen Worten der Verwundeten niedergeschriebenen, Antworten, bestehen, wie dies des weiter unten folgen werdenden zu bemerken ist, in 11 Worten.*

*Die Verwundete nannte zuvörderst den Inquisiten als denjenigen, welcher ihr die Wunden verursacht habe und Scheelen-Wiese als den Ort, wo die That geschehen sey. Auf die Frage, ob Inquisit am gestrigen Abend vor das Haus gekommen sey? versetzte sie: er rief, wollte mir etwas sagen; ehegestern und auf die Frage: ob er schon früher versucht mit ihr allein zu seyn? ja; ehegestern Abend mich schon angerufen am Fenster. – Auf der Wiese habe er sie gefragt, ob sie seine Braut seyn wolle? was sie verneint. – Die Frage: ob Inquisit sie nothzüchtigen gewollt? beantwortet sie dahin: ja, er faßte mich mit einer Hand um, gab mir einen Kuß und schnitt. – Sie habe vorher, sagte sie weiter aus, nie mit dem Inquisiten den Beischlaf vollzogen, auch mit sonst Niemanden in Unehren zu thun gehabt. – Es sey gleich 11 Uhr gewesen, als die That geschehen.*

*Nach der 16$^{ten}$ Frage heißt es im Protocolle:*

*Die Menge der Umstehenden in der kleinen Stube, die Angst, Fieberhitze, Schmerzen und Anstrengung, welche die Antworten hervorbrachten, ließen für jetzt keine weitere Fragen zu, zumahl jede Anstrengung dieser Art schädlich für das Zusammenheften war; man mußte daher für erst abbrechen.*

*Nach Verlauf einer Stunde geschahen noch drei Fragen an die Verwundete, deren Beantwortung schon oben mit angeführt ist.*

*Hierauf gerieth, lautet es im Protocolle weiter, die Verwundete in einen Husten und mußte man weitere Fragen aussetzen. Der Doctor wendete augenblicklich einen Aderlaß an, worauf Ohnmacht, oder ähnlicher Zustand, sich einstellte.*

*Wir erlauben uns hier kurz dasjenige zusammenzustellen, was über das Ergehen und Verhalten der Hornbostel nach zugefügter Verwundung ist ermittelt worden.*

*Die bei der vorerwähnten Anwesenheit des Amtmanns Niemeyer zu Eltze sofort vernommene Wittwe Wiese, eine Mitbewohnerin des Havekostschen Anbauer-Hauses, deponirte:*

*(...)*

*Der Tod der Hornbostel ist nach Aussage der Wittwe Wiese am Morgen nach der That gegen 8 Uhr erfolgt. Die Meldung davon ist dem, damals bereits nach Meinersen zurückgekehrten Amtmann Niemeyer Mittags 12 Uhr desselben Tages geworden, wie denn auch der bereits erwähnte Kranken-Bericht des Drs. Bärner damit schließt, wie er, gleich nach seiner Rückkunft nach Meinersen erfahren habe, wie die Verwundete gegen 8 Uhr Morgens verstorben sey.*

*(...)*

### D. <u>Untersuchung der Frage: welches Verbrechen hier vorliege? welche Strafe auf dasselbe im Allgemeinen geordnet und im vorliegenden Falle zu erkennen sey.</u>

*Bereits oben ist nachgewiesen, daß der Thatbestand einer Tödtung rechtlich constatirt, so wie ferner, daß Inquisit Urheber derselben, endlich daß sie von ihm absichtlich und zwar dolo praemeditato verübt sey. Demnach ist von demselben laut Bestimmung des Art: 137. C.C.C. ein Mord begangen.*

*(...)*

*Wir sind demnach der rechtlichen Meinung:*

> *daß der Inquisit Johann Hennig Wrede aus Eltze, weil er überführt und geständig, die Dienst-Magd Hornbostel mit vorgefaßter Absicht um das Leben gebracht und sich solchergestalt eines Mordes an dieser schuldig gemacht zu haben, sich selbst zur Strafe, Andern aber zum Schrecken und Abscheu, mittelst Zerschmetterung seiner Gebeine durch eiserne Keulen von oben herab vom Leben zum Tode zu richten und sein entseelter Körper auf das Rad zu flechten sey.*

*Das diesem gemäß abgefaßte, im Concepte allerunterthänigst beigeschlossene, Straf-Erkenntnis überreichen* **Euer Königlichen Majestät** *wir zu Allerhöchst dero Bestätigung.*

Wenn indessen qualificirte Todes-Strafen in neuern Zeiten nicht mehr vollstreckt worden, sie auch, dem Vernehmen nach, durch die bevorstehende neue Criminal-Gesetz-Gebung werden abgeschafft werden, so erlauben wir uns den tiefunterthänigsten Antrag, die verwirkte gesetzliche Strafe in die der Enthauptung allergnädigst verwandeln zu wollen und ersterben in tiefster Unterwürfigkeit.

*Euer Königlichen Majestät*

*allerunterthänigste, treugehorsamste, pflichtschuldigste*

*Reinbold    vBothmer    vReiche*

*vLenthe    LvSchlepegrell*

(227 Seiten)/*Zelle, den 11. July 1828*

Festgestellt wurde an anderer Stelle durch einen „ausgezeichneten Lehrer der Arzneikunde", „daß die Hornbostel wahrscheinlich geheilt seyn würde, wenn ihr eine bessere diätische und chirurgische Behandlung zu Theil geworden wäre, und daß auf ähnliche Weise verletzte Personen, unter weit ungünstigeren Umständen, wirklich geheilt worden sind".

Was letztendlich als Grund für die Tat, die zur letzten Hinrichtung an der ehemaligen Hinrichtungsstätte des Amtes Meinersen führen sollte, eine besondere Rolle spielte, wird aus einem Hinweis im Eltzer Kirchenbuch deutlich:

| 12 Hornbostel. | d. 17ten | <u>Vater</u> war Anthon Wrede Kuhhirt in Wiedenrode |
|---|---|---|
| Heinriette, | Junius. | <u>Mutter</u> war Ilse Margarethe Hornbostel geb. See- |
| Elisabeth | Sie starb | vogel |
| aus Wie- | meuchel- | Der 2te Sohn des verstorbenen Wrede olim Schä- |
| denrode, | mörderi- | fer, rief das Mädchen 10 1/2 Uhr abends aus |
| 20 Jahr | scher | Gerloffs Hause wo es diente, ging mit ihm nach |
| alt. | Weise. | Wrede Scheelen Wiese – sprach mit ihr über |
| | | künftiges Heiraten band ihr wahrscheinlich unter |
| | | vorgeblichen Spaß, die Perlen aus, gab ihr einen |
| | | Kuß, bei welcher Gelegenheit er ihr den Kopf ü- |
| | | berbog und den Hals mit einem Schermesser ab- |
| | | schnitt. Er hatte ihr aber nur die Luftgurgel abge- |
| | | schnitten und die anderen verletzt. Er glaubt, daß |
| | | sie todt sey und geht weg. Das Mädchen erholt |
| | | sich wieder, kriecht bis nach Havekosts Hause |
| | | aufm Kaninchenberge, von der Wiese ab gleich |
| | | hinter diesem Hause, um 1 1/2 Uhr kömmt sie da |
| | | an. Weil das Mädchen nicht sprechen kann, |
| | | schreibt es den Mörder auf. 9 Stunden nachher |
| | | starb es. Es wurde secciret und war seit 4 Mona- |
| | | ten schwanger. Der Mörder sitzt in Ketten zu |
| | | Meinersen, hat alles bekannt und wird gerichtet |
| | | werden. Er heißt Joh: Henning Wrede olim Schä- |
| | | fer. Die Ursache war ein anderes Mädchen, was |

70

*er lieber hatte, heiraten zu können, als mit der er sich versprochen hatte. Wenn ich über den Menschen ein Zeugniß ausstellen soll, so kann dieß, bis auf die That, nur gut sein und jeder aus der Gemeinde kann nur dasselbe sagen. Er war ein guter Arbeiter, den jeder gern in Arbeit haben mogte.*

**Der Eintrag im Eltzer Kirchenbuch.**  *Foto: Karl-Heinrich Waack*

Am 28. August 1828 wurde die landesherrliche Genehmigung zu der Erkenntnis der Justizkanzlei in Celle erteilt, wonach Johann Hennig Wrede wegen vorsätzlichen Mordes mittelst Zerschmetterung seiner Gebeine mit eisernen Keulen von oben herab vom Leben zum Tod gebracht und sein Körper auf das Rad geflochten werden sollte. „Jedoch haben Wir Uns in Gnaden bewogen gefunden, diese erkannte Strafe aus landesherrlicher Gewalt in die einfache Strafe der Enthauptung zu verwandeln."

Der zum Tode verurteilte Johann Hennig Wrede richtete ein Gesuch um Begnadigung an Seine Königliche Majestät. Ohne Erfolg. Von Schloss Windsor verlautete unter dem 16. Januar 1829:

*Georg der Vierte von Gottes Gnaden König des vereinigten Reichs Groß-Britannien und Irland p. auch König von Hannover, Herzog zu Braunschweig und Lüneburg p.*

*Unsere Freundschaft und was Wir mehr Liebes und Gutes vermögen, auch wohlgeneigten und gnädigsten Willen zuvor, Durchlauchtigster Fürst, freundlich geliebter Bruder, Wohlgebohrne, Edleveste, Räthe und liebe Getreue! Wir haben erhalten und erwogen, was unterm 23$^{ten}$ Dec. v. J. in Beziehung auf das Begnadigungs-Gesuch des zum Tode verurtheilten Johann Henning Wrede aus Eltze, Amts Meinersen eingesandt und berichtet worden.   Wir haben Uns indessen nicht bewogen finden können, dem Begnadigungs-Antrage Statt zu geben.   Unser Ministerium wird diesem gemäß die weitern Verfügungen treffen.*

*Wir verbleiben Ew. Liebden und euch mit freundbrüderlicher Zuneigung, auch wohlgeneigtem und gnädigstem Willen stets beigethan.*

Der Mörder wurde am 27. Februar 1829 durch den Scharfrichter Joseph Voß aus Celle durch Enthauptung hingerichtet, der Körper des Toten im Bereich der Hinrichtungsstätte vergraben.[25] Im Eltzer Kirchenbuch heißt es:

*d. 27ten Abend decollirt bey Ohof durch den Scharfrichter Voß aus Celle. Der Kopf fiel uf einen Hieb.*

### Vollzogene Strafen.

**Königliche Justiz-Canzlei zu Hannover.** Johann Heinrich Buchholz zu Colshorn ist wegen Unvorsichtigkeit beim Feueranlegen in der Forst zu vierzehntägiger Gefängnißstrafe verurtheilt und ist diese Strafe an demselben vollzogen.

**Amt Meinersen, den 13. März 1829.** Johann Hennig Wrede aus Elze ist wegen Ermordung der Dienstmagd Hornbostel daselbst nach Urtheil und Recht am 27. v. M. mit dem Schwerte vom Leben zum Tode gerichtet worden.

*Den Strafvollzug vermeldeten die Hannoverschen Anzeigen vom 21. März 1829.* ←

*Zellescher Anzeiger vom 25. März 1829.* ↓

So eben ist fertig geworden: Johann Hennig Wrede aus Elze, der am 27sten Februar 1829 zu Meinersen hingerichtete Mörder der Dienstmagd Henriette Elisabeth Hornbostel. Dargestellt aus den gerichtlichen Untersuchungs-Akten, brochirt 3 ggr. G. E. F. Schulzesche Buchhandlung in Zelle.

An Ort und Stelle wurde 154 Jahre später, am 31. August 1983, von den Gemeindearbeitern Alfred Alpers und Helmut Heier ein tonnenschwerer Findling aufgestellt und mit der Inschrift „Hinrichtungsstätte des ehemaligen Amtes Meinersen, letzte Hinrichtung am 27. 2. 1829" versehen. Die Anregung dafür hatte unter anderem der Lehrer und Heimatkundler Ernst Heuer gegeben. Den Stein hatte der Steinmetz Dieter Wolf herausgegeben. Dass die Hinrichtungsstätte in dem dortigen Kiefernbestand gewesen war, war bei der Bevölkerung längst in Vergessenheit geraten, erzählen alteingesessene Ohofer. „Der Stein liegt auf einer großen Platte, die früher in der Kirche als Steinplatte gelegen hatte", weiß der Meinerser Archivpfleger Horst Berner zu berichten. Die Inschrift ist nicht mehr zu entziffern. Am 7. September 1983 wurde die Gedenkstätte eingeweiht.

---

[25] Einsichtnahme in die Akte (Nds. HptStA Hann. 26a Nr. 7289) ist bis dato laut Benutzerblatt durch Gisela Wilbertz, Osnabrück (09.10.1974), Krause, Göttingen (28.07.1986), Kuhne, Ronnenberg (31.08.1992), und Matthias Blazek, Adelheidsdorf (09.02.2006), erfolgt.

# Die letzte Folter im Königreich Hannover

Das letzte Beispiel einer Folter im Hannoverschen trug sich im Jahre 1818 in Meinersen zu. Der in Celle ansässige Scharfrichter, Johann Gerhard Christoph Funke, der in den Ämtern rings um Celle die Abdeckereien verpachtet hatte, rückte dem wegen Pferdediebstahls angeklagten Kötter Franz Wiegmann aus Ottbergen mit zehn Henkersknechten in der Nacht vom 12. zum 13. März 1818 im Kellergewölbe des Amtshauses von Meinersen zu Leibe.

Die Herrschaft der Folter währte bis in das 18., in manchen Staaten noch bis in das 19. Jahrhundert. Sie war die Quelle wahrhaft unzähliger Justizmorde. In seinen „Beiträgen zur Deutschen Geschichte, insbesondere zur Geschichte des deutschen Strafrechts" (Tübingen 1845) schrieb der bekannte Historiker Dr. Carl Georg v. Wächter (1797-1880): „Mit Qualen, welche furchtbarer waren, als jede Strafe seyn konnte, wurden die Angeschuldigten, die in unzähligen Fällen unschuldig waren, gemartert und von ihnen das Geständniss Dessen erpreßt, was sie gethan oder was sie auch nicht gethan, nicht einmal gedacht hatten, was sie am Ende aber als ihre That gestanden, um nur den unerträglichen Qualen der Folter zu entgehen. Und überstand auch je der Gefolterte die mehrmals wiederholte Folter mit Standfertigkeit: so war der Lohn seines Schweigens oder seiner standhaften Unschuld ein sieches, unglückseliges Leben und ein zerrissener zerfleischter oder halbverbrannter Körper."

Nicht selten findet man bei Unkundigen die Ansicht vertreten, als sei nach der peinlichen Gerichtsordnung Kaisers Karl V. von 1532 die Tortur der Verbrecher von der Willfuhr der Gerichte abhängig gewesen. Dem war aber nicht so. Der Artikel XX, überschrieben mit: „Das on redliche anzeugung niemandt soll peinlich gefragt werden", bestimmte, dass wenn nicht zuvor redliche Anzeigen der Missetat vorhanden und bewiesen seien, niemand gemartert werden solle, ja er erklärte Obrigkeit und Richter, wenn ohne solche redliche bewiesenen Anzeigen wider Recht jemand gemartert worden war, wegen der dem Inquisiten zugefügten Schmach, Schmerzen, Kosten und Schäden für ersatzpflichtig (dazu auch Artikel LXI). Der Artikel XXIII enthielt darüber, „wie die genügenden Anzeigen, darauf man peinlich befragen mag", bewiesen werden sollten, Vorschriften und erforderte für den Beweis derselben regelmäßig zwei Zeugen. Welche Tatsachen als redliche und genügsame Anzeigen anzusehen waren, darüber enthielt die peinliche Gerichtsordnung ausführlichere Bestimmungen, so in den Artikeln XXV und XXVI, die sie jedoch nicht als erschöpfend, sondern nur als beispielsweise hinstellte, da man, wie es im Artikel XXV heißt, sie nicht alle beschreiben könne. Die peinliche Gerichtsordnung ließ daher allerdings dem richterlichen Ermessen weiten Spielraum.

Dass bei der Handhabung des Gesetzes durch die Gerichte Missgriffe, ja selbst oft missbräuchliche Anwendung angezeigt war, kann nicht bestritten werden. Missbrauch hat namentlich stattgefunden, wenn politischer und religiöser Fanatismus sich in die Rechtsprechung einmischten.

Mit dem peinlichen Verhör sollte nicht nur ein Geständnis erzwungen werden, sondern bei der Anwendung eines solchen wurde die Auffassung vertreten, dass dadurch die noch bevorstehenden Qualen des Jüngsten Gerichts erheblich gemildert würden. Wenngleich es auch das Ziel des peinlichen Verhörs war, ein Geständnis zu erreichen, so oblag es dem Scharfrichter, dem Delinquenten keine bleibenden, gesundheitlichen Schäden zuzufügen, selbst entstandene Verletzungen mussten vor der Strafvollstreckung ausgeheilt sein. Falls es aber doch zu einer Beeinträchtigung der Gesundheit des Übeltäters gekommen war, so wurde der Scharfrichter dafür bestraft, zuletzt unter Heranziehung der hannoverschen Kriminalinstruktion von 1736. Eine Tortur durfte nicht länger als eine Stunde dauern. Um ein urteilsfähiges Geständnis zu erlangen, war es erforderlich, ein solches Geständnis sich einen Tag später ohne peinliches Verhör vom Beschuldigten bestätigen zu lassen. Falls dieser die Tortur überstanden hatte, ohne ein Geständnis abgelegt zu haben, wurde er auf freien Fuß gesetzt.

Für das peinliche Verhör gab es regional unterschiedliche, die Schmerzen steigernde Methoden. Über die Anwendung derselben, nämlich über den Beginn und das Ende sowie die Schmerzen steigernde Grade, hatte ein Richter zu befinden. Die damals verwendeten Folterinstrumente sind in größeren Museen ausgestellt und dort zu besichtigen.

Im Stadtarchiv Hannover befinden sich Protokolle der Torturen von Frauen, die der Tötung ihrer Neugeborenen verdächtig waren.

Durch die „umständliche" hannoversche Kriminalinstruktion vom 30. April/11. Mai 1736, durch welche das Verfahren in Kriminalsachen neu geregelt wurde, war im Kapitel 11 bezüglich der peinlichen Frage, die als fortbestehend behandelt wurde, ausführlich das Verfahren vorgeschrieben und die größte Vorsicht und Sorgfalt geboten, um Missbrauch zu verhüten.

Erst allmählich wurde die Folter in Deutschland abgeschafft, am spätesten hier im Königreich Hannover, wo sie erst durch die von König Georg IV. erlassene Spezial-Verordnung vom 25. März 1822 verboten wurde. Den letzten Anstoß zu dieser Abschaffung soll der vorliegende, in den Jahren 1816 bis 1818 verhandelte Kriminalprozess gegeben haben, dessen Akten im frühesten Band der „Hannoverschen Geschichtsblätter" (1898) von Dr. jur. Theodor Roscher behandelt wurden.

Diese Akten hatten sich noch 1875 in der Registratur des Amtsgerichts Meinersen befunden und waren betitelt mit „Acta inquisitionis wider Franz Wiegmann aus Ottbergen, Amts Steuerwald, wegen Pferdediebstahl", und auf dem Deckel war von der Hand des Amtshauptmanns und Drosten Carl Johann Georg von Düring zu Meinersen neben dem Namen des Inquisiten vermerkt: „NB. an demselben ist wegen seines hartnäckigen Leugnens eine Realterrition (das letzte

Beispiel dieser Art im Hannoverschen) vollzogen, ohne daß er eingestand. Sein Geständniß erfolgte erst nachher aus Angst vor anderweiten Qualen. Er ist auch 4 Jahre zum Zuchthauß verurtheilt; der Tod erreichte ihn indeß vor der Zeit seiner Befreiung."

Nach Roschers Recherchen stellte sich der Fall so dar:

In der Nacht vom 22. zum 23. September 1816 waren von einer Weide bei Hänigsen zwei Pferde gestohlen.

Der Pferdediebstahl war ein damals verhältnismäßig häufig vorkommendes Verbrechen, welches mit schwerer Strafe bedroht war. Ein für das Kurfürstentum Hannover vom Kurfürst Georg Ludwig unter dem 22. November 1708 erlassenes „geschärftes Edict gegen die Pferdediebe", welches nach einem späteren Edikt vom 1. Juni 1735 alljährlich am 6. Sonntag nach Trinitatis von allen Kanzeln des Landes verlesen werden sollte, bestimmte, dass Pferdediebe „ohne eintzige Gnade mit dem Strange vom Leben zum Tode gebracht werden sollen".

Dieses Diebstahls war Franz Wiegmann aus Ottbergen dringend verdächtig, weshalb er am 29. Oktober 1816 in das Amtsgerichtsgefängnis zu Meinersen eingeliefert wurde, in dem er bis zu seiner am 2. September 1818 erfolgten Abführung ins Peiner Zuchthaus, also fast zwei Jahre lang, verblieb.

Das Amt Meinersen hatte die Sache zu instruieren, während für die Entscheidung die Justizkanzlei in Celle zuständig war. Unter dem 17. April 1817 beauftragte darauf die Justizkanzlei das Amt, ihn ärztlich darauf untersuchen zu lassen, ob sein Gesundheitszustand die Tortur gestatte. Ein Attest des Dr. med. Halle in Gifhorn vom 24. Mai verneinte die Frage einstweilen.

Am 1. August äußerte sich derselbe Arzt dahin, „der Inquisit sey durch Entwöhnung der freyen Luft und überhaupt durch das Sitzen äußerst herunter gekommen, indeß wieder von der eigentlichen Krankheit befreyet. Sein Zustand sey zwar noch immer schwach und werde durch das Sitzen noch immer schlechter; allein dennoch sey solcher so beschaffen, daß derselbe wohl die Daumschrauben aushalten könne, ohne daß ein Nachtheil für seine Gesundheit daraus entstehen könne; die übrigen Grade der Tortur dürften jedoch keineswegs angewandt werden."

Die Cellesche Justizkanzlei verfügte am 4. März 1818 gegenüber dem Amt Meinersen:

*Unsern freundlichen Dienst und Gruß zuvor, Edler, Ehrenvester auch Achtbarer günstiger und gute Freunde!*

*Wir haben zu seiner Zeit erhalten, was Ihr in Inquisitions Sachen wider Franz Wiegmann in pto Pferde=Diebstahl sammt Einsendung der Acten anhero berichtet habt. Wenn nun nach Maaßgabe und Beschaffenheit der wider den Inquisiten vorhandenen rechtlichen Anzeigen die real territion wider denselben erkannt worden: so begehrn Namens Sr. Majestät wir hiermit, Ihr wolltet unter der sorgfältigsten Geheimhaltung solches auf die Schrecken mit der Marter eingeschränkten Erkenntnisses zuvörderst:*

1. den Inquisiten vorfordern, unter umständlichem Vorhalt der in denen hierbei kommende Acten liegenden Anzeigen ernstlich und beweglich zum richtigen Bekenntnisse ermahnen, und ihn über die angebogenen Frage=Stücke vernehmen, die Antworten, Gebährden und sonstigen Umstände zu Protocoll nehmen, und im Falle der Inquisit bey dem Leugnen verbleiben solte, demselben anzeigen, daß schärfere Mittel, um ihn zum Geständniß zu bringen, wider ihn erkannt worden.

2. Wenn auch diese Ankündigung ohne die gesuchte Würkung bleibt, habt Ihr den Inquisiten mit dem Bedeuten wieder in das Gefängniß zurück führen zu lassen, daß man ihm noch eine kurze Zeit zum Nachdenken gönne wolle, die er zum eigenen Besten nicht solle verstreichen lassen, ohne durch freywilliges Bekenntniß denen sonst bevorstehenden peinlichen Zwangs=Mitteln zuvor zu kommen.

3. habt Ihr das Tortur=Gemach, als solte ein würklicher actus torturae vorgenommen werden, in gehörigen Stand setzen zu lassen, auch

4. dem Nachrichter anzuzeigen, daß er sich, zu Vollstreckung einer peinlichen Frage, auf die von Euch bestimmte Zeit, bereit halte und anschicke, welche Zeit zwey bis drey Tage nach der Ankündigung, und zwar in der Nacht, 6 bis 8 Stunden nachdem der Inquisit das Abend=Brod gegessen, anzusetzen ist.

5. Zu solcher festgesetzten Zeit habt Ihr darauf den Inquisiten nochmals in der ordentlichen Gerichtsstube, ohne Vorzeigung des Nachrichters und der zur Peinigung gehörigen Instrumente, sorgfältig zum gütlichen Geständniß zu ermahnen; wenn er sich dazu bequemet, über die vorgeschriebenen Frage=Stücke zu verhören, sonst aber mit der Ankündigung in den Kerker zurückbringen zu lassen, daß man ihm nur noch wenige Augenblicke zur Bedenkzeit gestatten wolle.

6. Ist alsdann der Nachrichter vorzufordern, und ihm bekannt zu machen, daß wider den Inquisiten eine Territion und zwar in dem Maaße erkannt sey: daß er, wenn der Inquisit in das Tortur=Gemach eingeführt, und ihm von Euch zur Vollstreckung des Erkenntnisses übergeben seyn würde; demselben die zur Peinlichkeit dienenden Instrumente vorzeige, ihn zu Vermeidung der Marter zu einem ungezwungenen Bekenntniß ermahne, bey beharrlichem Leugnen den Inquisiten durch seine herzutretende Leute würklich angreifen, entkleiden und auf die Folterbank setzen lasse, die Daumschrauben anlege, und mit deren Zuschraubung einen gelinden Anfang machen lasse.

7. Wenn Ihr Euch darauf selbst in das Tortur=Gemach begeben, habt Ihr den Inquisiten von Fesseln befreyet, in Gegenwart des Nachrichters und seiner Gehülfen, dahin vor Euch führen zu lassen, und unter kurzer Ermahnung, sich der Marter nicht auszusetzen, zu befragen: ob er sich endlich ohne Zwang zu einem aufrichtigen Geständnisse bequemen wolle.

8. Im Fall solches versprochen wird, ist der Inquisit, nachdem der Nachrichter mit den Seinigen abgetreten, über die vorgeschriebenen Frage=Stücke zu vernehmen;

*9. Wenn hingegen derselbe sich zu keinem Bekenntnisse bereit erklärt, oder auch dem Erbiethen zuwider mit der Sprache nicht herausgehen will, und daß solches nur aus Furcht der Marter geschehen vorgiebt, so habt Ihr dem Nachrichter anzuzeigen: daß ihm der Inquisit zu Vollstreckung des ihm bereits bekannt gemachten Erkenntnisses übergeben werde, worauf solcher der Instruction gemäß zu verfahren hat.*

*10. Falls dieser Versuch den Inquisiten zum Bekenntniß bewegt, werdet Ihr Euch die Vorschrift der Criminal-Instruction Capitel XI §. 13. 15. 16 zur Richtschnur dienen lassen.*

*11. Wenn hingegen das beharrliche Läugnen fortdauert, so ist der Inquisit mit dem Bedeuten in das Gefängniß zurückzuführen, daß man zwar vor das mal der wirklichen Vollstreckung der Marter Anstand geben, jedoch dabey hoffen wolle, daß Inquisit annoch in sich gehen, und zum eigenen Besten bald ein aufrichtiges Geständniß ablegen werde.*

*12. Auf beyde Fälle werdet Ihr hiernächst wegen Ratification der Urgicht die Verordnung der Criminal-Instruction Cap, XI §. 18, befolgen.*

*Wir erwarten von dem allen fordersamst Euren Bericht sammt anderweiter Einsendung der Acten und aufgenommenen Protocolle, und sind Euch zu freundlichen Diensten und Willfahrung geneigt.*

*Zelle den 4ten Mart. 1818.*

*Königl. Großbritannisch Hannoversche zur Justiz=Canzley verordnete Director und Räthe.*

*v. Willich*

Am 10. März 1818 begann das Amt Meinersen, in Gemäßheit dieses Reskripts zu verfahren, indem es zunächst Punkt 1 und 2 erledigte, ohne ein Geständnis zu erlangen. Unter demselben Tage ist in den Akten Folgendes registriert: „Von heute an sind die Gefangenwachen verdoppelt, auch ist das alte Gewölbe unter dem alten Amthause durch Herrendienste aufgeräumt und zum Marterkeller in gehörigen Stand gesetzt, auch sind sofort die Torturleiter und der Marterstuhl hervorgesucht worden." Gleichzeitig richtete das Amt folgendes Schreiben an den Scharfrichter Johann Gerhard Christoph Funke in Celle:

*Der Herr Scharfrichter Funke wird hiemit aufgefordert, am nächsten Donnerstag Abend gegen 5 Uhr hier in Meinersen sich einzufinden, um eine Tortur in derselben Nacht noch hierselbst vorzunehmen. Es sind zu dem Ende die Daumschrauben, die Spanischen Stiefel und die gewohniglichen peinlichen Instrumente mitzubringen. Der Delinquent ist ein großer starker Mann, weshalb die nöthigen Leute mitzubeordern sind. Den Transport steht die Herrschaft und geben wir anheim Lohnpferde zu nehmen, welche Sie her und am Freitag Morgen zurück nach Celle bringen. Der Marterstuhl und die Leiter sind hier vorhanden und im guten Zustande, alle übrigen Geräthschaften müssen Sie mitbringen. Den schriftlichen Empfang vorstehender Requisition, und daß Sie am Donnerstag Abend hier mit den nöthigen Leuten eintreffen wollen, ersuchen wir dem Ueberbringer dieses mitzugeben.*

Darauf antwortete der Scharfrichter:

*Mein Herr Drost und Herr Amtsassessor: Dero Befehl vom 10. Märtz 1818 habe richtig erhalten. Ew. Hochwohlgeboren Befehl habe sofort Maßregeln getroffen um Folge zu leisten, einen expressen Boten zu Pferde habe sofort nach Bennemühle nach meinem Pächter abgeschickt, auch am morgenden Tage früh schicke ich einen expressen Boten nach Uetze und Gifhorn um die Leute sofort wie Sie Herr Drost befohlen sogleich anzuschaffen. Ich habe deswegen an den Herrn Gogrefen Schultze geschrieben um meinen Leuten von Uetze und wieder retour einen Wagen zu geben und das solche befohlenermaßen um 5 Uhr am Donnerstag Abends am 12. Märtz in Meinersen bey mir erscheinen um die gehörige Instruction zu empfangen. Gehorsamst empfiehlt sich dero ergebenster Funke, Nachrichter.*

Vom 12. März findet sich in den Akten zunächst folgende Registratur des Amtsassessors Otto Carl Niemeyer:

*Meldete sich der Scharfrichter Funke aus Celle und fand die ihm vorgelegte Leiter und den Marterstuhl im guten Stande. Ihm ward intimirt dahin zu sehen, daß die ihm untergebenen Knechte bei dem acte nüchtern sein müßten, auch er dahin zu sehen habe, daß dem Inquisiten an seiner Gesundheit nichts gefährdet werde. Zugleich begab Endesunterschriebener sich zu dem Gastwirth Steller, welchem der nöthige Wink gegeben wurde, daß nahmentlich dem Scharfrichter aus Celle nicht zu viele hitzige Getränke gegeben würden, auch übernahm es gedachter Steller, dem Scharfrichter Funken an das Herz zu legen, den letzteren genau zu beobachten, damit keiner berauscht in den Marterkeller treten möge. Der Gefangenwärter Halpage zeigte mittlerweile an, daß seit 3 Uhr dem Inquisiten nebst allen übrigen keine Speisen gereicht wären und daß er Uebelbefinden seiner Ehefrau zum Vorwande gegeben habe; daß übrigens Wiegmann seit 6 Wochen sich sehr erholt habe und sein Gesundheitszustand gegenwärtig besser sich wie zur Zeit der Untersuchung des Landphysikus befinde.*

Wie Punkt 5 der Verfügung der Justizkanzlei erledigt wurde, ergibt folgendes Protokoll:

*Actum Meinersen in der Nacht vom 12. bis 13. März 5 Minuten nach 12 Uhr.*

*Praes. der Herr Drost v. Düring und ich der Amtsassessor Niemeyer.*

*Nachdem alle Anstalten zur Realterrition des Inquisit Wiegmann getroffen waren, auch seit 3 Uhr demselben keine Speisen gereicht gewesen, so wurde Inquisit aus seinem Gefängniß gehohlt und auf die Amtsstube geführt. Zuvor wurde derselbe seiner Fesseln entledigt und sodann nochmahls ernstlich zugeredet die That zu gestehen, indem er durch ein längeres Läugnen nur sich in einen übeln marterhaften Zustand bald versetzen würde. Derselbe zeigte an: Er sey jetzt in der Gewalt des Amts, müsse aber bey dem allen bleiben, was er gleich anfänglich angegeben habe. Er sey sich nichts bewußt und könne also nichts bekennen. (Uebrigens war der Inquisit betroffen, zitterhaft, angst und blaß, allein in seinem ganzen Betragen nahm man wahr, daß er seine Geisteskräfte und eine feste*

*Entschlossenheit behalten habe.) Hiernächst kündigte man dem Inquisiten an, daß man ihm einige und nur noch wenige Augenblicke zur Bedenkzeit nochmahls verstatten wolle, daß er diese kurze Zeit nicht vergebens verstreichen lassen, mithin in sich gehen und die That, worüber er bereits eben befragt sey, nunmehr frey und rein eingestehen möge. Inquisit blieb aber ruhig dabey, daß er völlig unschuldig sey und nichts von der That wisse. Hierauf ließ man den Gefangenwärter vortreten, den Inquisiten wieder schließen und in das Gefängniß auf kurze Zeit zurückbringen, nachdem Inquisit seine gethanen, ihm wiederholten Aussagen genehmigte, und ist gegenwärtiges Verhör 12 Uhr 46 Minuten geschlossen worden. In fidem*

*v. Düring.    Niemeyer.*

Nach einer 12 Uhr 47 Minuten aufgenommenen Registratur wurde dann schleunigst der Scharfrichter Funke aus Celle – „welcher beim Amte Meinersen schon zwei Torturen ausgeführt" – und sein Bruder aus Braunschweig unter Verweisung auf ihren Diensteid gemäß Ziffer 6 des obigen Reskripts instruiert, worauf man sich amtsseitig in den Marterkeller begab. Das hier aufgenommene Protokoll hat folgenden Wortlaut:

*Actum Meinersen in der Nacht vom 12. bis 13. März 1818.*

*Praes. der Herr Drost v. Düring und ich der Amtsassessor Niemeyer.*

*In dem Gewölbe unter dem alten Amthause fand man jetzt den Scharfrichter Funke sowie dessen Bruder und 9-10 Henkersknechte bereits versamlet. Das ohnehin grauenhafte Gewölbe hatte in dieser Nacht ein schauderhaftes furchtbares Ansehen von innen, welches die Todtenstille, weil kein einziger Zuschauer zugelassen worden, und die absichtlich angebrachte matte Erleuchtung in den grauenvollen Winkeln noch besonders vermehrte. Inquisit Wiegmann wurde vorgeführt, von Ketten losgeschlossen. Die Uhr zeigte auf 12 Uhr 50 Minuten. Der Inquisit blieb ganz ruhig und schien entschlossen zu seyn alles mit sich machen zu lassen, was man wolle. Amtsseitig ermahnte man ihn nochmals, jetzt, da er Ernst sehe, es nicht auf das Aeußerste ankommen zu lassen. Derselbe blickte gar nicht um sich und erklärte mit Fassung, daß er unschuldig sei. Hierauf trat der Scharfrichter Funke vor, forderte den Inquisit Wiegmann nochmahls zum Bekenntniß auf, führte ihn etwas zur Seite an den Tisch, auf welchem die Peinigungs=Instrumente zur Hand lagen. Hier stellte ihm Funke auf eine grausahme Weise, jedoch in aller Kürtze vor, was man mit ihm und seinen Knochen jetzt sogleich vornehmen werde, und sodann mußte er vor den Tisch der Beamten treten, welche nochmals ihn zu einem gütlichen Geständniß aufforderten.*

*Inquisit: Er habe nichts gethan, und er könne nichts bekennen.*

*12 Uhr 53 Minuten gab man dem Scharfrichter den Wink zum Angriff. 9 Knechte fielen mit Drohung und Geschrey über den Inquisiten her und zerrissen ihm, unter Hin= und Herraufen, die sämmtlichen Kleidungsstücke vom Leibe, banden ihm eine weiße Schürze vor und zogen ihn nach der Folterbank. Das Zeug war stark und ging das Abreißen des Zeuges langsahmer wie gewöhnlich, obgleich man bey dem losschließen gleich einen starken Kittel dem Inquisiten ausgezogen hatte.*

*Inquisit wurde ganz bleich, erklärte aber, er sei unschuldig.*

*Von Beamten ward Inquisit aufgefordert, sich die Marter zu erspahren.*

*Inquisit schien die Schmerzen zu verachten, der furchtbare Angriff imponirte garnicht, er sagte ganz ruhig: „wie kann ich was bekennen, was ich nicht gethan."*

*12 Uhr 56 Minuten befand sich Inquisit auf dem Marterstuhl, auf den er vor einigen Augenblicken unsanft niedergesetzt war, der Stuhl ward etwas zurückgelehnt, damit Inquisit das Marter=Küssen desto mehr fühlen möchte.*

*Derselbe jedoch seine ganze Fassung, antwortete ohne Seufzer und ohne Miene zu verzucken: „ich bin unschuldig."*

*12 Uhr 57 waren dem Inquisiten die Hände an die Stuhllehne gebunden, die Augen waren ihm verbunden.*

*Inquisit ließ alles geduldig mit sich machen, antwortete jedem Beamten, bei seynem Character mit Höflichkeit und langsahm, „daß er nichts gethan habe."*

*12 Uhr 58 waren ihm die Hände wieder losgebunden, er ward aufgerichtet, ermahnt zur Wahrheit, indem er jetzt Ernst sehe und sich überzeugen müsse, daß dies kein Blendwerk sey.*

*Inquisit in ruhiger Gelassenheit sagte: „wenn man mich todt martert, ich habe nichts gethan, macht, was Sie wollen."*

*Vor 12 Uhr 59 Minuten war er bereits wieder auf dem Marterküssen. Nach 12 Uhr 59 Minuten wurde der Stuhl gerückt, einige Secunden darauf waren die Daumstöcke angelegt.*

*Inquisit sagte nichts, sondern hielt geduldig die Hände her. Amts Ermahnungen halfen nichts.*

*Vor 1 Uhr schrob man etwas; 1 Uhr waren solche zugeschroben, jedoch augenblicklich gelinde.*

*Inquisit schwieg. Ermahnungen fruchtlos.*

*Scharfrichter Funke ließ einen Peitschenhieb dem Inquisiten geben.*

*Inquisit zuckte, weil solcher unvermuthet kam bei verbundenen Augen.*

*1 Uhr 1/2 Minute zweiter Peitschenhieb. (Funke versicherte, daß vor dem festen Zuschrauben einige Hiebe in dies Verfahren gehörten.)*

*Kein Laut, kein Seufzer, Ermahnungen vergeblich. Inquisit schien diesen zweiten Hieb nicht zu achten.*

*Es war 1 Uhr 1 Minute.*

*Inquisit antwortete, als wenn er jemandem heftig etwas versicherte: „wo kann ich was bekennen, was ich nicht gethan."*

*1 Uhr 1 Minute war der Marter=Act vorbey. 1 Uhr 1 1/3 Minute wurde der Inquisit vor den Tisch geführt, gestand aber nichts.*

*Der Inquisit wurde unter dem Vorwande, daß ihm die weiteren Instrumente nochmals sollten umständlich gezeigt werden, an den Tisch des Scharfrichters geführt, hier wurde er mit Salben bestrichen. Derselbe zeigte an: „ich friere und kann es nicht besehen." Er achtete auch nicht auf die Drohungen.*

*Des Scharfrichters Bruder aus Braunschweig äußerte insgeheim dem Beamten, daß heute seyner Meynung nach alle Martern fruchtlos seyn würden. Eben dies sagte der alte Praktiker der Halbmeister Schehufer von Uetze mit der Bemerkung, daß ihm eine solche Verstocktheit nicht vorgekommen sey, rieth aber allenfals zur Anlegung der spanischen Stiefel als einem sehr guten Versuch.*

*Der Inquisit war in einer anderen Ecke so viel wie möglich angekleidet, wiederhohlte nochmahls seine Aeußerungen, daß er völlig unschuldig sey und nichts bekennen könne und antwortete, daß er sich martern lassen müsse indem er nichts gethan habe. Der Inquisit ward 1 Uhr 12 Minuten, nachdem er vorher geschlossen, in das Gefängniß abgeführt, der Scharfrichter befehligt den Inquisiten morgen zu besehen und ihm die nöthigen Salben zu verabreichen.*

*Die beiden Scharfrichter sowie der alte Schehufer zeigten auf Befragen an: daß die Daumstöcke nur gelinde zugeschroben worden, denn sobald solche nur mittelmäßig geschroben wären, spritzte das Blut aus den Daumspitzen, und da kein Tropfen gekommen, müsse man annehmen, daß man nur mit dem Zuschrauben einen gelinden Anfang gemacht habe.*

*1 Uhr 15 Minuten verließ man den Marterkeller.*

*actum ut supra.    in fidem*

*v. Düring.    Niemeyer.*

Am 13. März registrierte der Amtsassessor Niemeyer in den Akten Folgendes:

*9 Uhr Morgens. Zeigte der Gefangenwärter Halpage an: der Inquisit Wiegmann sey heute Morgen außerordentlich traurig, lese in einem Gebetbuche und glaube, daß diesen Abend die Sache von neuem an wieder losgehen werde. Er, Comparent, habe es für seine Pflicht gehalten den Inquisiten hiebey zu lassen, indem er gewis glaube, daß er vor Einbruch der Nacht noch bekennen werde. Bald darauf habe ihm Wiegmann entdeckt, daß er lieber sterben wie diesen Abend die ihm gestern Nacht gezeigten Martern aushalten könne. Hierin liege so viel daß er bekennen wolle. Amtsseitig hielt man für zweckmäßig die Wachen zu verdoppeln um desto mehr Geräusch zu machen und gab dem Gefangenwärter den Wink den Wiegmann in seinem Glauben, daß die Sache von neuem diese Nacht los gehen werde, zu bestärken. In fidem etc.*

*Registratum eodem. 11 Uhr: Der Scharfrichter Funke zeigte an: Er habe den Inquisit Wiegmann mit Salben heute versehen, finde solchen gesund; er habe ihn nochmals ermahnt, heute Abend zu bekennen, weil er sonst das wider seinen Wunsch an ihm würklich verrichten werde, was er ihm nur vergangene Nacht gezeigt habe. In fidem etc.*

*Registratum eodem. 1 Uhr. Zeigte der Gefangenwärter Halpage an: es deuchte ihm, daß Wiegmann mit sich selbst kämpfe, ob er gestehen wolle oder nicht; er höhre genau auf die Wachen, ob diese von demjenigen sprächen, was heute Nacht vor sich gehen würde. Er habe demselben mehr malen gesagt, daß er aber vor Abend noch Zeit habe, sich zu bedenken, daß er aber vor Abend bekennen müsse. Den neuen Wachen habe er gesagt, daß sie sich, als eine Heimlichkeit unter einander, doch so, daß es zu Wiegmann Ohren kommen möchte, gegen Abend erzählen möchten, daß noch mehr Leute zu dem Scharfrichter seiner Truppe gekommen wären. Amtsseitig bedeutet man, daß man vor Abend den Inquisiten nicht ängstigen möge.*

*Actum Meinersen, den 13. März, Abends 7 Uhr. Zeigte der Gefangenwärter Halpage an: Gegen Abend wie es dunkel zu werden angefangen habe der Inquisit Wiegmann große Angst verrathen und die Wachen hätten sich einander erzählt, daß ein neuer Wagen voll Schinderknechte eben angekommen sey, auch daß alle Leute vor dem Amte schon hin und herliefen. Jetzt habe er den Inquisiten ermahnt, die Wahrheit zu sagen, und ihm gerathen, sich doch nicht würklich martern zu lassen, indem er ja genug gesehen, daß die Beamten möglichst ihm diese Marter hätten erspahren, mithin gestern Abend die Tortur nicht vollziehen, sondern ihm 24 Stunden Bedenkzeit geben wollen. Heute werde es aber schärfer hergehen. Inquisit habe ihm angezeigt, daß er sich vor Angst nicht zu retten wisse, lieber bekennen als sich von neuem martern lassen wolle, und daß er daher um ein Verhör bitte.*

*Der Gefangenwärter kehrte sofort zurück, mittlerweile dann der Hr. Drost v. Düring es übernahm in aller Eile mündlich vom Inquisiten das freye Geständniß zu erhalten, worauf man denselben in einem Tempo auf die Amtsstube führen lassen wolle. Um Widerruf zu vermeiden, ließ man vieles Licht auf die von späth beendigten Terminen noch ganz warme Amtsstube bringen, ließ ferner eine Menge Leute auf dem Amtshof zusammentreiben und Geräusch so viel wie möglich darauf verbreiten, wobey dann Leute mit Leuchten nach dem Tortur=Gewölbe zu hin und herlaufen mußten. In fidem etc.*

Es folgt in den Akten ein um 19.30 Uhr aufgenommenes förmliches Protokoll, wonach Franz Wiegmann das vor dem Drost inzwischen bereits abgegebene Geständnis wiederholte und nunmehr über die Einzelheiten der Tat vernommen wurde.

Die ganze Prozedur scheint auf den Gesundheitszustand Wiegmanns nicht ohne nachteiligen Einfluss geblieben zu sein. Am 19. März wurde er von dem Dr. med. Halle aus Gifhorn ärztlich untersucht. Dieser fand „den Puls fieberhaft und den Zustand des Inquisiten überall angegriffen und zerstöhrt, woran ein Wundfieber, der Schrecken bei der Tortur, Gewissensunruhe und vorzüglich der Gemüthskampf, ob er bekennen wolle oder nicht, ingleichen Furcht vor Strafe, Reue, schlaflose Nächte x. Schuld seien." Auch hat Wiegmann nach den Akten Klage darüber geführt, dass bei ihm nach der Tortur Blutspeien eingetreten sei und ein Bruchleiden, zu dem er Anklage gehabt, sich verschlimmert habe.

Die weiteren Einzelheiten des Prozesses sind ohne allgemeines Interesse. Die Akten schließen mit folgendem, dem Amt Meinersen zugegangenen Bescheid:

*Unsern freundlichen Dienst und Gruß zuvor, Edler Ehrenvester auch Achtbahrer günstiger und gute Freunde!*

*Demnach in Untersuchungs=Sachen wider Johann Franz Wiegmann S. Königl. Hoheit der Prinz=Regent Sich in Gnaden bewogen gefunden, die von Rechtswegen verwirkte zehnjährige Zuchthausstrafe vorkommenden Umständen nach im Wege der Gnade in eine vierjährige Zuchthausstrafe damit zu verwandeln: so habt Ihr solches dem Inquisiten gehörig zu eröfnen und ihn in das Zuchthaus zu Peine abführen zu lassen, zu welchem Ende der Transport- und Aufnahme=Befehl zu weiterem Gebrauche hierneben erfolgen. Wir erwarten wie diesem gelebt Euren Bericht und sind Euch zu freundlichen Diensten und Willfahrung geneigt.*

*Zelle den 28. Aug. 1818.*

*Königliche Großbritannisch Hannoversche zur Justiz=Canzley verordnete Director und Räthe.*

*v. Willich.*

Die Herren Inquisitoren zu Meinersen ernteten übrigens für ihren Erfolg keinen Dank seitens der obersten Justizbehörde, sondern vielmehr folgenden Verweis, der dem hierüber zitierten Reskript auf einem besonderen Bogen angeschlossen wurde:

*Wir haben aus denen über die Vollstreckung der Euch demandirten Real=Territion eingesandten Protocollen ersehen, daß Ihr nicht nur bey der Vollstreckung derselben mit einer eigenmächtig geschärften Strenge verfahren, durch welche der Inquisit weit mehr gelitten hat, als es die allgemeinen Regeln des Criminal=Processes und der Praxis und das von uns ertheilte specielle Instructorium vom 4ten Mart. d. Js. beabsichtigten und erlaubten, sondern auch außerdem noch eine überall nicht authorisirte, fast einen ganzen Tag fortgesetzte Verbal=Territion hinzugefügt habt, dadurch die Angst des Inquisiten bedeutend vergrößert, und vielleicht bleibende Nachtheile für dessen Gesundheit verursacht habt. Wir sind daher vom Königlichen Cabinets=Ministerio beauftragt, Euch wegen dieser procedur das Mißfallen desselben zur Belehrung für künftige Fälle zu erkennen zu geben.*

Am 2. September 1818 wurde Franz Wiegmann in das Peiner Zuchthaus abgeführt, wo er noch vor Ablauf seiner vierjährigen Strafe starb.

Theodor Roscher beendete seinen Aufsatz in den „Hannoverschen Geschichtsblättern" mit den Worten: „Ich schließe diese Mittheilungen nicht mit einer menschlich vielleicht nahe liegenden Gefühlsäußerung, sondern mit der bewährten Mahnung des Historikers, daß man die Dinge weder beweinen noch belachen sondern zu verstehen suchen soll."

**Quelle:**

Theodor Roscher: „Criminalia", Aufsatz in: Hannoversche Geschichtsblätter, 1. Jahrgang 1898, Nr. 22 (29.05.1898), S. 172 f., Nr. 23 (05.06.1898), S. 182 ff., Nr. 24 (12.06.1898), S. 186 ff.

**Anmerkungen:**

Die Tortur begann oft mit dem Auspeitschen, das seine moralische Wirkung (wie ja allein schon die Bedingungen der Kerkerhaft) nicht verfehlte. Das zum peinlichen Verhör genutzte Instrumentarium bestand üblicherweise ferner aus Bein- und Daumenschrauben, darunter die sog. „Spanischen", aber auch die „Braunschweigischen Stiefel", quasi Schraubstöcke mit um der größeren Wirkung willen gezackten Backenrändern, die immer fester angezogen wurden und oft Knochenbrüche hinterließen.

„Urgicht" war die Bezeichnung für das auf der Folter erlangte Geständnis. Dasselbe erlangte Beweiskraft erst dann, wenn es bei einer nach zwei oder drei Tagen stattfindenden Vernehmung „aus freien Stücken" nochmals bestätigt wurde.

Unter „Territion" verstand man eine bloße Bedrohung mit der Tortur, welche, wenn sie sich auf Worte, wenn auch verbunden mit Vorzeigung und Erläuterung der Marterinstrumente, beschränkte, Verbal-Territion hieß, während bei der Real-Territion, der Einschüchterung durch Folterwerkzeuge, zwar eine Entkleidung des Inquisiten und Anlegung der Instrumente stattfinden, denselben aber kein Schmerz verursacht werden sollte – eine Grenze, die im vorliegenden Fall wohl kaum innegehalten worden ist.

Die von der Justizkanzlei in den Gliederungspunkten 9 und 12 angesprochenen Paragraphen des Kapitels XI der Kriminalinstruktion von 1736 haben folgenden Wortlaut:

§ 13: „Soferne aber der Inquisit sich erkläret, daß er bekennen wolle, muß die Peinigung nachgelassen und der Actuarius in seinem Protocoll niederschreiben lassen, unter welchem Grad der Marter der Inquisit diese Erklärung von sich gegeben und wie zugleich damit nachgelassen worden ist, denselben umständlich noch weiter zu vernehmen sowie dessen Antwort fleißig mit genau jenen Worten zu notiren, womit er seine Erklärung abgegeben hat."

§ 15: „Thut aber der Inquisit seinem Versprechen gemäß nunmehro ein richtiges Bekenntniß, so muß das Gericht denselben über die vorgeschriebenen Articuls nach allen Umständen der Personen, der Zeit, des Orts, der Ursachen und sonstiger Dinge befragen, um auf diese Weise die rechte Beschaffenheit der That genau zu erforschen sich angelegene sein zu lassen."

§ 16: „Kein Gericht soll befugt sein, weder in der Tortur, noch gleich nach derselben den Inquisiten zu befragen, ob er nicht noch mehr verbrochen, gestohlen oder geraubet habe? Es muß sich dasselbe desfalls vielmehr genau an die in der Criminal-Instruction vorgeschriebenen Fragstücke binden. (Es wäre denn, daß der Inquisit von selbst noch mehr Uebelthaten gestände, oder ein öffentlicher Dieb, Räuber, Landläufer ect. oder sonst vor der Inhaftierung eines üblen Gerüchtes sein sollte.)"

§ 18: „Wann die Tortur dergestalt vollstrecket worden, muß der Inquisit den dritten Tag nachher in die ordentliche Gerichtsstube, ohne Beisein des Scharfrichters, vorgefordert und ihm seine vorige Aussage – es sei, daß er die That in der Tortur ganz oder zum Theil gestanden – von Wort zu Wort vorgelesen; er aber, ob dieses die Wahrheit sei und er dabei annoch geständig bleibe (?) befraget werden solle, jedoch ohne einige Bedrohung, welches sich bei der Ratification am allerwenigsten gebühret; und soll dessen Antwort und Erklärung ad Protocollum genommen werden. Ein Gleiches ist zu beobachten, wenn der Inquisit realiter irritiret worden; nach einer bloßen Verbal-Territion aber kann mit Ratification des Geständniß' den zweiten Tag hernach noch verfahren werden."

## Hannoversches
# Magazin.
60$^{tes}$ Stück.

Mittwoch, den 28$^{ten}$ Julius 1819.

### Einige Nachrichten
von den im Amte Meinersen vorgefallenen Criminal=Vergehungen
und peinlichen Strafen in älterer Zeit.

### Vom Amts=Assessor Niemeyer.

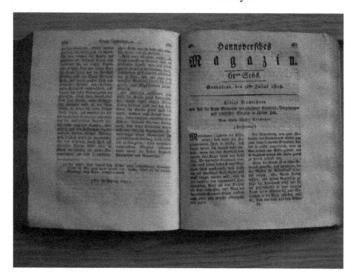

Ohnerachtet aus der hiesigen Amts=Registratur außerordentlich viele alte Criminal=Acten, besonders aus dem 17ten Jahrhundert her, bereits verloren gegangen sind, so enthält dennoch der jetzt wirklich noch vorhandene Theil derselben, blos wegen Straßenraubes und bedeutender Diebstähle noch 340 Convulente von Special=Untersuchungen.

Unter allen hier vorgefallenen Verbrechen, so viele und so mancherlei auch verübt sind, hat indeß der Pferdediebstahl die hiesige Criminal=Chronik besonders ausgezeichnet.

Schon so weit die ältesten Acten hier reichen,[26] finden sich auffallend viele Untersuchungen über dieses Verbrechen, und laut der wenigen aus dem 17ten Jahrhundert her nur noch vorhandenen Acten, sind in demselben schon allein 57 Pferdediebe gefänglich hier inhaftirt gewesen. Unter diesen befand sich im Jahre

---

[26] Die älteste hiesige Criminalacte schreibt sich vom Jahre 1559 her, und hat einen in 3 Wochen untersuchten und mit dem Strange bestraften Linnendiebstahl von 53 rT Werth zum Gegenstande.

1607 der in damaliger Zeit als Pferdedieb so berüchtigte Cordes, dem man nicht weniger als 43 Pferdediebstähle beschuldigte.

Die von ihm allein begangenen 22 Diebstähle gestand er eines Morgens im Verhör gütlich ein, machte dagegen am nämlichen Nachmittage den noch 21 übrigen Untersuchungen, in welchen seine Vertrauten mit verwickelt waren, durch einen Selbstmord ein Ende.

Bei weitem übertraf ihn aber sein Schüler Hansen Wedekind; denn dieser bekannte selbst schon 67 verschiedene Diebstähle, und würde gewiß noch viel weiter seinem Lehrer zuvorgekommen seyn, wenn er in seinem 23sten Lebensjahre nicht schon durch das am 10ten Februar 1617 ausgesprochene Urtheil mit dem Rade hingerichtet worden wäre.[27]

Auch im letzten Jahrhundert bestand die Mehrzahl der hier Hingerichteten noch immer aus Pferdedieben, und den Beschluß von solchen machte der im Jahre 1800 mit dem Strange bestrafte Witnebe, welcher zwar nach aller Wahrscheinlichkeit blos in den letzten 27 Monaten vor seiner Arretirung 17 Pferde ebenfalls gestohlen hatte, aber der wirklichen Entwendung von 10 Stück nur überführt werden konnte.

Leider hat selbst in neuerer Zeit dies so hart verpönte Vergehen hier noch mehr zu= als abgenommen, obgleich noch kürzlich mehrere des Pferdediebstahls überwiesene Verbrecher allhier bestraft sind, und kein Jahr verfließt, daß nicht mehrere solcher Diebstähle im hiesigen Amtsbezirke vorfallen; so sind unter andern in den letztern sechs Monaten des verwichenen Jahrs aus dem Hänigser und Uetzer Bruche allein noch 16 Pferde entwandt. Hin und wieder haben in früherer Zeit Weiber und selbst Mädchen an diesem Verbrechen thätlich Theil genommen, und noch im J. 1746 ist hieselbst eine junge Schusters=Frau aus Burgdorf hingerichtet,[28] welche aus dem Uetzer Bruche, worin sie desfalls eine ganze Nacht allein zugebracht, ein nachher nur für 5 Thlr. 18 gr. von ihr verkauftes Pferd ohn alle Hülfe aufgefangen, mit einer in ihrem Tuche eigens dazu verborgenen Trense aufgezäumt und gleich in vollem Trabe 3 Meilen weit fortgeschafft hatte.

Zu den Zeiten des dreißigjährigen Kriegs und ebenfalls noch wohl eine Zeitlang nachher[29] scheint man indeß, wie aus mehreren Acten jener Zeit ersichtlich ist,

---

[27] Unter den 67 einzelnen eingestandenen Diebstählen enthielt ein einziger schon die Entwendung von 7 Pferden von der Nordburger Weide. Unter andern gestand Wedekind entwandt zu haben 35 Pferde, 185 Schafe, 20 Schweine, 14 Böchsen (Beinkleider) und 7 Himten mit Eisen beschlagen. Gelegentlich hatte er bei Straßenräubereien 3 Leute erschlagen, so wie auch zu Langenhagen außerdem einen vorsätzlichen Mord begangen. Bei der Untersuchung wurde er gefragt, durch was für Species er sich unsichtbar machen könne. Dieser Punct beunruhigte vorzüglich auch vor der Tortur den Scharfrichter so sehr, daß dieser Gegenmittel vorsorglich anwandte.

[28] Statt des ihr zuerkannten Stranges ward begnadigungsweise ihr das Schwert zu Theil.

[29] Im J. 1608 wurde hieselbst Thör wegen 24 und Neuer im J. 1609 wegen 17, Rampage im J. 1616 wegen 4, Ebeling im J. 1617 wegen 24 und Wedekind wegen 35 entwandter Pferde hingerichtet. Von dieser Zeit bis zum Jahre 1668 sind nach den jetzt noch vorhandenen Acten

nicht nur die Niederschlagung der Sache äußerst gern befördert zu haben, sondern hat selbst bei erfolgtem Eingeständniß den Dieb mit einer nur geringen Scheinstrafe, z. B. mit einer kurzen Landesverweisung dann belegt, sobald der Eigenthümer des Pferdes von ihm nur gehörig entschädigt war.

Hauptsächlich mögen zwar an diesem gelinden Verfahren die in hiesigen Landen damals vorgefallenen Kriegsverheerungen Schuld gewesen seyn; allein zu leugnen ist es wohl gleichfalls nicht, daß die starken, damals sich umhergetriebenen Räuberbanden, welche des Tages über Straßen beraubten und des Nachts Mordbrennereien und die fürchterlichsten Einbrüche unter Knebeln und Binden verübten, aller Wahrscheinlichkeit nach auch viel dazu beigetragen haben, daß man damals Pferdediebstähle nur für unbedeutend hielt und halten mußte.[30]

So wie Räuberbanden in jenen Zeiten alle Theile des Landes unsicher machten, so verübten in den Jahren von 1616 bis 1653 mehrere dergleichen Rotten die größten Gräuelthaten in der hiesigen Gegend, besonders an den Gränzen der Braunschweigischen, vorzüglich aber der Hildesheimischen Aemter.

In den ersten 12 Jahren des dreißigjährigen Krieges nahm insonderheit hieran eine sich in dem Amte Peine und Meinersen zerstreut aufgehaltene sehr zahlreiche Bande Theil, welche zwar niemals oder doch höchst selten nur zusammenstieß, dagegen aber in kleineren Abtheilungen desto mehr wüthete. Deren zahlreiche Mitglieder kundschafteten sehr bald die Ankunft von Reisenden oder Geldboten ohne sicheres Geleite aus, und besetzten auf die sich einander eiligst mitgetheilten Winke sogleich alle Pässe der Gegend, wo man den Durchziehenden nur ungefähr erwarten konnte. Jeder, welcher einen solchen Paß betrat, wurde dann ohne weitere Berücksichtigung zu Boden gestreckt[31], und wenn dann

---

keine Todesstrafen wegen bloßer Pferdedieberei allhier vollzogen. Die Pferdediebe Brackenhof und Behrens wurden aber wieder 1668 mit dem Tode bestraft, und ihnen folgten anhaltend viele nach.

[30] Grobe Diebstähle wurden in jener unruhigen Zeit hier sehr gelinde bestraft; gleiche Grundsätze beobachtete man bei den Mordthaten; so wurde z. B. unterm 6ten Februar 1619 ein vorsätzlicher Mörder nur des Landes verwiesen und ihm bald darauf gegen das Versprechen, eine Geldstrafe von 20 rT zu erlegen, der Wiedereintritt ins Land gestattet. — Kurz vorher wurde der vorsätzliche Mörder Giesecke, weil er sich mit der Familie des Entleibten ausgesöhnt hatte, nach öffentlich abgelegter Kirchenbuße völlig auf freien Fuß gesetzt. — Noch unterm 24sten Februar 1657 ward ein ähnlicher Mörder nur gegen 30 rT 12 g wieder in Freiheit gesetzt. Ungleich härter verfuhr man dagegen vor und nach dieser Zeit. Am Ende des 16ten Jahrhunderts wurden Nose, Heinemann, Abing, Sander etc. wegen Diebstahls mit dem Strange bestraft, und wegen in augenblicklicher Uebereilung ausgeführten Mordes wurden Kobbe und Hacke im J. 1603, Schrader im J. 1614, Hohmann und Heuer im J. 1617, Lüdecke im J. 1612, Sander und Ernst im J. 1597, Bokemeyer im J. 1612, Kemner im J. 1602 und Knebel im J. 1608 enthauptet. Bei den letzteren beiden ward noch besonders bemerkt, daß Milderung eingetreten sey, und daher jeder nur mit dem Schwerte hingerichtet und auf's Rad geflochten werden solle. Im Jahre 1608 wurde Schlinthold, weil er die Landesverweisung gebrochen und beim Wiedereintritt einige Taschentücher entwandt hatte, gleichfalls geköpft.

[31] Im Dec. 1616 erwartete man die Ankunft eines Factoren von Wolfenbüttel mit Gelde, und besetzte die Braunschweiger Straße sehr sorgfältig; ein Abdeckerknecht passirt statt dessen von ungefähr ein solches besetztes Holz und wird sogleich niedergebohrt. Im J. 1617, erwie-

und wann auch ein Thäter entdeckt war, so übersah man auf die unverantwortliche Weise die nicht ganz schnell auszumittelnden Mitthäter.

Unter der Hand müssen jene Räuber hinlänglich bekannt gewesen seyn; denn so z. B. wendet sich eine Frau aus Losmar an vier Mitglieder derselben, ihren nach Hildesheim gegangenen Mann unterwegs zu erschießen. — Für 5 Thlr. wird man sogleich mit ihr eins, und noch am nämlichen Nachmittage liegt bei Himmelsthür der Mann schon todt am Holze niedergebohrt. Eben so übernahmen es zwei Mitglieder der Bande, für 19 Hildesheimsche Gülden einen sehr alten kinderlosen verwitweten Lehnsmann, der sich mit einem hübschen Bauermädchen eben zu verloben im Begriff stand, ganz unverdächtig sofort aus der Welt zu schaffen. Wie er mit mehrern Freunden gerade zur Verlobung reitet, wird dieser alte Lehnsvetter von seinem muthigen Rosse geworfen, von demselben geschleift[32], und stirbt am andern Tage.

So fielen an allen Seiten immer mehrere unglückliche Opfer, bis endlich zu Ostern 1621 diese Bande einen großen Verlust glücklicherweise erlitt, welcher bald deren gänzliche Auflösung nach sich zog.

Zwei Boten waren nämlich von einem Juden aus Peine nach Hildesheim und in die dortige Gegend zu Abholung einer Summe von 85 Thlr. ausgesandt. Der eine Bote verräth die Sache der Bande, und am Nachmittage der erwarteten Rückkunft sind sofort 5 Pässe um Peine herum stark mit Räubern besetzt.

Erst kommt ein Landmann aus dem Braunschweigischen nahe bei einer Mühle, in den Acten die Hollandsmühle genannt, und in dem Augenblick, wie er den Paß betritt, zerschmettert eine Flintenkugel ihm schon den Rückgrad. — Sein Geschrei wird durch sechs ihm in den Leib versetzte Spießstiche unterdrückt, und kaum hat man noch so viel Zeit, ihn in einen nahen Seitengraben zu wälzen, als nunmehr der erste eigentlich erwartete Geldbote auf der Mordstelle wirklich anlangt, und gleichfalls, wie er bei dem Anblick des frischen Blutes und von dem Röcheln des eben in den Graben geworfenen Sterbenden stutzt, von mehreren Schüssen tödtlich getroffen, niedersinkt.

Wie auf die gefallenen Flintenschüsse von den nächsten vier Pässen am Scheibenberge jetzt die Räuber zusammen treffen und sich mit dem langsam nachgegangenen zweiten Geldboten um den Betrag der Beute zu zanken, betritt ein

---

dert der Amtmann zu Wolfenbüttel, welcher dieserhalb um Nachricht gebeten war: „Auch hier im Lechelnholze ist am letzten Sonntage ein Schinderknecht erschlagen und beraubt, indeß sind dieser Plackereyen so viele, daß man nicht die Zeit hat, sich alles anzeigen zu lassen, noch weniger dieses aufzuschreiben."
Der damals vergeblich erwartete Factor wurde gleich einige Tage darauf bei Ohof nahe bei dem Hochgerichte selbst mit Keulen von den Räubern erschlagen und dessen Wagen beraubt. Der Thäter, Grone oder Ebeling genannt, ward am 14ten Sept. 1617 gerädert.

[32] Ein 17jähriges verruchtes Mitglied der Bande hatte dem Pferde ein mit drei Widerhaken versehenes, sich langsam weiter entzündendes, mit Pulver eingeriebenes Pechzunderpflaster in den aufgeschürzten Schweif sehr heimlich zu stecken gewußt. Das sich todtgerannte Pferd wurde im Sosmer Holze wieder gefunden. Erst im J. 1621 ward der Thäter entdeckt, der aber nach Goslar entkam. Die Sache ließ man auf sich beruhen.

Bürger aus Peine, Namens Dirsing, den noch besetzten fünften Paß, und sogleich erhält auch er nicht nur eine Kugel in das Oberbein, sondern wie man statt der gehofften Geldrollen in seinem Tragkorbe nur Fische bei ihm findet, versetzt man ihm wüthend auch noch mehrere tödtliche Stiche. Dirsing, von andern nachher aufgenommen, giebt sieben Räuber an, worauf vom Amte Peine 7 [33], vom Amte Meinersen 4 [34], und vom Magistrat zu Peine 2 bis 3 Räuber sofort eingezogen, torquirt und hingerichtet worden. Viele andere von der Bande nehmen zwar die Flucht, allein hierdurch noch mehr verdächtig werden sie, wo man sie trifft, ohne an das Gericht, worin die Mordthaten geschehen, abgeliefert zu seyn, bald hingerichtet.[35] Nur wenige ausgetretene Mitglieder blieben noch von der Bande übrig[36], welche sich nachher an mehrers in der Schlacht bei Lutter am Bahrenberge (1626) versprengtes befreundetes Militair anschlossen, und sogleich 3 Haupt=Einbrüche an den hier benachbarten Gränzen vorzüglich leiteten; zu bekannt in hiesiger Gegend, zogen sie aber bald in wohlhabendere Länder.

Mehrere Anzeigen und Requisiten aus der Altmark und benachbarten andern Ländern beurkunden, daß die Grausamkeit und vorzüglich die Frechheit der Räuberbanden damals wieder den höchsten Grad erreichte.

Man besetzte auch auswärts ganz planmäßig das zu beraubende, mit Diebeslichtern ganz hell erleuchtete Haus, und stellte sich ganz frech den zu Hülfe eilenden Landleuten entgegen, auf welche man mit Kugeln und Schrot sogleich Feuer gab. Ehe nicht Sturm geläutet und die Hälfte der Dorfbewohner nicht auf die Beine gebracht war, wagte man nicht leicht, sich anderweit den Flintenkugeln der Räuber auszusetzen.

Erfolgte bei einem Einbruch keine Störung, so wurden in einem solchen beraubten Hause die Kinder unter die Betten gesteckt, die erwachsenen Menschen aber sämmtlich an Händen und Füßen grausam geknebelt und ihnen der Mund mit Hede und Wolle überdem auch noch so fest verstopft, daß kein Schreien möglich war.

---

[33] In dem Amtsgefängnisse zu Peine entleibten sich zwei der Thäter gleich in den ersten Tagen.

[34] Das Amt Meinersen ergriff in Rietze und Stederdorf voer von den Dirsingschen Mördern. Einer derselben war der nämliche, welcher den Mord bei Himmelsthür ausgeführt hatte. Er ward mit dem Rade nach mehrern vorhergegangenen glühenden Zangengriffen zum Tode gebracht.

[35] Auch die Frau aus Sosmar wurde zu Poppenburg wegen der Ermordung ihres Mannes bei Himmelsthür enthauptet und mit ihr der zweite Thäter; der dritte fiel zu Peine durch's Schwert; der vierte aber wurde vom Amte Lichtenberg, wo er anderer Verbrechen wegen saß, in Betracht seiner sehr vortheilhaften Zeugnisse, gegen eine geringe Geldbuße entlassen und der menschlichen Gesellschaft zurückgegeben.

[36] Vier Enkel dieser Entwichenen genossen hier im Lande Schutz, weil deren Großväter Schandthaten längst vergessen waren; sie trieben aber bald das Handwerk ihrer Großväter, begingen mehrere Diebstähle und raubten unter andern auch die Kirchen zu Sievershausen und Edemissen. Man ward dreier von ihnen bei einem Einbruch unweit Hildesheim endlich habhaft, und diese wurden sogleich darauf am 10ten Febr. 1691 zu Steuerwald mit dem Strange hingerichtet.

Nachdem man ganz ruhig den Diebstahl ausgeführt hatte, verschloß man das Haus wieder sorgfältig und überließ die in einen Winkel geworfenen geknebelten Unglücklichen, in Angst und Fieberhitze liegend, ihrem weitern Schicksale. Oft blieben solche dann mit auf den Rücken gebundenen Händen bis gegen Mittag, oder doch so lange liegen, bis zufällig, vielleicht auf Geschrei der kleinen sich losgearbeiteten Kinder wieder Leute in dies Unglückshaus drangen und dann erst die Geknebelten, welche durch Rufen sich nicht einst entdecken konnten, wieder befreieten.

---

Die erste Abdankung des Wallensteinschen Heeres (1630) schuf anderweit viele neue Banden oder vergrößerte doch ungemein die bereits vorhandenen.

Auch mehrere Militairs, welche man wegen ihrer Verdienste nicht wohl anders honoriren konnte oder wollte, erhielten kaiserl. Passeports und unter deren Schutze durchzogen sie mit ihren Trupps noch bewaffnet und geschlossen mehrere Länder, in welchen sie den Umständen nach entweder requirirten oder brandschatzten. Gelegentlich begingen einzelne Abtheilungen mitunter die grausamsten Straßenräubereien, oder des Nachts die furchtbarsten Einbrüche. Unter andern zeichnete sich anfänglich die Ahrensche und hernach die Bande des Hauptmanns Andreas Trems sehr furchtbar für die hiesige Gegend aus. Letztere kam zum letzten Male im Jahre 1642 von der Vorstadt Münder noch 44 Tartaren stark, mit einem großen Troß von Ziegeuner=Weibern und Kindern, unter Feldmusik aufmarschirt, und lagerte sich unter Militairzelten vor Hänigsen. Nach ihrer Gewohnheit blieb diese Bande, wenn Schwedische Truppen nicht in der Nähe waren, solange bei einem solchen Dorfe liegen, bis entweder die vielen requirirten Victualien nicht wohl aus der umliegenden Gegen füglich mehr eingehen konnten, oder endlich aus den Residenzen der damaligen kleinen Fürsten Militair noch wirklich wider sie heranrückte. Bei dem mehrfach durch Geld erst erkauften Abzuge stellte man so schnell wie freudig die vielen Bagagefuhren, um diese so muthwilligen Gäste nur so bald als möglich wieder los zu werden.

Weil man oft nicht wußte, ob dieses bewaffnete Militair noch im wirklichen Dienste oder mit einem andern Corps in Verbindung stand, lieferte man größtentheils allenthalben in Güte, und nur etwa eine bewallete Stadt[37] fühlte sich stark genug, harte Requisitionen zurückzuweisen.

Bei Hänigsen entstanden aber unter der Bande selbst Uneinigkeiten, welche außer einigen Mordthaten diesmal nicht nur den Aufbruch der Bande gleich nach sich zogen, sondern auch Trems bewogen, einen trotzigen aufrührerischen Führer, Namens Schwarz Kreutznach, dem Amte Meinersen wegen mehrerer kürzlich begangener Ermordungen seiner Kameraden zur gerichtlichen Bestrafung selbst förmlich zu übergeben. Dies unsaubere ausgelieferte Mitglied bekannte dann unter der Folter folgende Thatsachen und Grundsätze.

---

[37] Die Stadt Celle lieferte dem Trems einen ausgetretenen Trommelschläger im Mai 1642 unter andern aus, welcher sofort auf der jetzigen Blumlage, laut Acten, erschossen wurde.

Mordthaten (äußerte der Bösewicht) sind unter der Zigeunerbande schon so häufig, daß keiner weiter sich danach mehr umsieht, wenn der eine Kamerad dem andern eine Kugel durch den Kopf jägt. So hat dieser Kreuznach ebenfalls einst seinen besten Freund Matthias selbst durchbohrt, weil dieser ihn um schuldiges Geld mahnt und nicht länger warten will; eben so hat derselbe den sogenannten Tartarenkönig Gens auf dem Damme bei Kiel erschossen, weil Gens des torquirten Bruders Söhne einstens auch ohne alle Ursache niedergesäbelt hatte.

Die Ermordung von zwei Reisenden vor Bremen und wieder von zwei solchen unweit Buxtehude findet er nicht unnatürlich, weil es ihm gerade am Gelde gefehlt und er dagegen etwas bei ihnen gewiß zu finden gehofft hat.

Unter der Bande ist es fester Gebrauch gewesen, daß diejenigen, die mit Waffen ihr Widerstand zu leisten wagen, ohne Gnade sterben müssen; und diesem Grundsatze zufolge hat Kreutznach nebst acht seiner Helfershelfer in einer einzigen Nacht sieben Männer bei zwei Einbrüchen in der Pfalz erstochen, welche, nach und nach aus dem Schlafe kommend, ihr Eigenthum mit Waffen noch vertheidigt hatten. —

Wer sogar Mitglieder dieser Bande bei einem solchen Ueberfall tödtet, muß auch selbst nach Jahren noch wieder sterben, weshalb dann dieser nämliche Führer bei Gelegenheit eines Brandes in Kallförde vier solcher Männer niederstach, welche vor diesem einmal in der Gegenwehr einige von seiner Bande bei einem nächtlichen Ueberfall erschossen hatten.

Kann die Bande die Männer nicht wohl selbst erreichen, so nimmt sie furchtbare Rache an deren unschuldigen Weibern und Kindern, und auf eine ganz abscheuliche Weise hat daher der torquirte unweit Hamburg auf einem Garten zwei schwangere Weiber ermordet, weil deren Männer bei seiner und seiner Gesellen Ankunft aus dem Staube sich schon zu frühgemacht, und dadurch der Rache selbst sich entzogen hatten.

Zwanzig Mordthaten, die er in wenig Jahren ausgeführt hat, scheinen ihn gar nicht weiter gerührt zu haben; allein die Ermordung eines jungen hübschen, von ihm schwangeren Mädchens, das ihm während der Abwesenheit von seiner Frau mehrere Jahre hindurch treu gefolgt war, und, seiner Drohungen ungeachtet, ihn durchaus nicht hatte verlassen wollen, scheint wirklich ihn noch zu reuen, wenigstens hält ermit diesem Geständniß bei der Tortur so lange wie möglich zurück, und erklärt hernach, daß er sich dieser That halber ordentlich schäme.

Bald darauf fordert eine Menge Ziegeunerweiber im Namen der angeblich zurückkommenden Tremschen Bande, unter Drohen mit Mord und Brand, Kreutznachs Loslassung. Der Amtmann von Hollwede schlägt diese standfest ab, und läßt sich selbst die Schlüssel zum Gefängniß abliefern; allein wie solcher schon zu Bett gewesen, wendet man sich an das weibliche Personale des Amtmanns, und eine für ganz untrüglich ausgeschrieene Ziegeunerin prophezeihet einem Fräulein v. Hollwede sehr schöne Sachen, vermuthlich eine glänzende Heirath, und wahrscheinlich, daß der Beglückte jetzt in Lebensgefahr schwebe, und nur durch Kreutznachs Hülfe errettet werden könne, denn noch in der nämlichen

Nacht entkommt dieser Unmensch aus dem alten festen Thurm. Schloß, Thür, Gitter u. s. w. werden sämmtlich unverletzt gefunden, und der Amtmann schreibt die Möglichkeit des Entkommens lediglich einem engen Einverständnisse des Kreutznach mit dem Teufel zu.[38]

---

Der letzte bedeutende Einbruch von einer förmlichen Räuberbande traf im J. 1760 das Päser Pfarrhaus. Funfzehn Räuber sprengen die Hausthür, während dessen andere die beiden Seitenausgänge besetzen, und den durch das Fenster in das Feld schon entkommenden Prediger, welcher barfuß weder laufen, noch im weißen Hemde sich verstecken kann, gebunden wieder in sein mittlerweile schon allenthalben mit Diebeslichtern erhelletes Haus zurückschleppen. In solchem findet er eine Gruppe von gräßlich sich verkleideten, ganz schwarz angefärbten Kerls vor, welche mit lautem Aufschlagen der Kisten und Kästen schon beschäftigt sind, und ihn nunmehr unter Martern zwingen, selbst seine Kostbarkeiten und namentlich das Geld hervor zu suchen.

Glücklicherweise lockt der Klang des Goldes die vor der Thür postirten Juden unaufhaltbar herein, welche zuerst freudig auf das Gold, dann aber mitleidig auf die an Händen und Füßen grausam geknebelte hochschwangere Hausfrau ihre Augen werfen.[39] Höflich legen sie dieselbe auf ein weich gemachtes Bette und lösen ihr auch in etwas die schneidenden Banden. Während nun die Juden bald zur Absonderung des aufgefundenen Silber= und Zinngeräths sie einen Augenblick verlassen müssen, die Christen dagegen unterdessen eben so emsig mit Verzehrung der aus Keller und Küche herbeigeholten Weine und Eßwaaren beschäftigt sind, und hiebei die Gesundheit der Hausherrschaft trinken, verkriecht sich die mittlerweile ganz frei sich gemachte Hausfrau heimlich, und wird alles Suchens ungeachtet nicht wieder aufgefunden. Ein noch offenes Kammerfenster bestärkt den Glauben nicht nur an ihre Flucht, sondern auch an die Herbeiholung von Hülfe, und da überdem die Juden schon Geräusch hören wollen, verläßt man nunmehr das Haus und begnügt sich mit dem Raube von 1551 Thlr. baaren Geldes und beträchtlichem Silbergeräth. Nie hat man weitere Spuren davon entdeckt.

---

Bei der großen Menge der hier begangenen Verbrechen läßt sich leicht abnehmen, daß auch die Zahl der hier Hingerichteten um so mehr bedeutend groß seyn

---

[38] In dem Steckbriefe nach Gifhorn heißt es unter andern: Weilen der Teufel Ergötzlichkeit an der Frommen Qual verspürt und hiernach so gieret, auf daß selbem die Genüge wieder seit langer Zeit geborsten, wiewohl man eigentlich zumal nach sündlichen Stunden nicht laut davon reden mag, als vermuthe, daß Satanas zu eigener Kurzweil den Tartaren auf etzliche Zeit wieder springen lassen, wohl wissend, daß selber ihm alsbald hinwieder mit mehreren Gesellen in die Klauen fallen werde.
[39] Die Juden haben wahrscheinlich aus dankbarer Freude über den starken baaren Geldvorrath die Hausfrau wieder damit zu trösten gesucht, daß die ausstehenden Capitalien und namentlich der Credit ungekränkt geblieben, mithin die sichersten Hülfsmittel genug noch da wären, in wenig Jahren das verlorne baare Geld wieder verdienen zu können.

müsse, als schon unter andern nach den nur wenigen Acten 81 Mörder gefänglich allhier gesessen haben; allein viel zu unvollständig sind einmal die Acten erhalten, und nur bei 44 größtentheils neueren befinden sich noch die Todesurtheile. Indeß sind die begangenen Verbrechen nicht besonders bemerkenswerth, wenn man allenfalls die That eines reichen Hofwirths zu Stederdorf ausnimmt, welcher seinen alten ihm zu lange lebenden Vater freundlich an den Brunnen zum Wasseraufziehen lockt und ihn dann hinunter stürzt.[40]

Die Bestrafung aber von zwei Schwermüthigen verdient hier noch einige Erwähnung.

Der eine derselben, längst des Lebens überdrüßig, geräth einst mit jemand in Streit, und ermordet aus Rache einige Stunden nachher dessen in der Wiege liegendes einziges unaussprechlich gebliebenes Kind.

Sogleich überfällt ihn aber die schrecklichste Reue; er überliefert sich selbst dem Gerichte, und mit der größten Begierde hat er nach der Stunde seiner Hinrichtung geseufzt, die zu seinem Leidwesen sehr spät erst erfolgte. Die gräßlichsten Träume quälten ihn des Nachts unaufhörlich, und bald nachher folterten ihn selbst schon bei Tage die fürchterlichsten Visionen. Lebhaft sah er die Gestalt des ermordeten Kindes, wie es für ihn selbst betet, und zwar in eben demselben sanften Lächeln, als wie es einige Augenblicke vor dem Todesstich in der Person des Mörders seinen Vater zu erblicken glaubte; bald trat aber dieses Bild in den letzten Verzerrungen wieder vor ihn in Gemeinschaft des ganz in Verzweiflung seyenden Vaters. Mehrfach versicherte er, daß die Qualen der Hölle nicht fürchterlicher, wie die hier erlittenen seyn könnten, und daß er den vor der That bereits oft beschlossenen Selbstmord nur gegenwärtig deshalb verabscheue, um wegen der hier schon ausgestandenen Qualen dort oben desto eher noch Erhörung wieder zu finden.

Mit ganz andern Gefühlen betrat 150 Jahre früher der andere Schwermüthige das Hochgericht.

Dieser, wegen seiner vorzüglichen Anklagen eitel gemacht, erhob sich vollends, wie er bei einer Schafheerde unweit Schwüblingsen eine aus dem Beerbusche kommende trächtige Wölfin erlegte. Uebermüthig und von den glänzendsten Luftschlössern träumend, ging er bald in der Krieg, und bei jeder Gelegenheit zeichnete er nicht nur sich wie der tollkühnste Wagehals aus, sondern that auch

---

[40] Der Alte stämmte sich innerhalb des engen Brunnens mit Händen und Füßen gegen das Mauerwerk und hielt sich noch eine kurze Zeit lang über dem Wasser. Allein der Sohn stößt mit dem eisernen Brunnenhaken solange auf die knöchernen Finger des Vaters, daß dieser bald loslassen und hinunter sinken muß. Eine Magd hört das letzte Flehen des Alten und die spottende Antwort des Sohnes.
Der alte Amtmann Dykmann ließ von 29 zanksüchtigen unverträglichen Söhnen den engen Kreis bei der Hinrichtung mit dem Rade schließen und versicherte denselben, daß er längstens froh sey, wenn der Teufel nur mit der Hälfte von ihnen auf dem Rade sich begnüge, da sie ja blindlings sämmtlich demselben in den offenen weiten Rachen laufen wollten. Nach völlig beendigter Execution wurden sie als höchst im Wege stehend von des Scharfrichters Knechten vom Sandhügel geprügelt.

freiwillig und unentgeltlich als Spion die besten Dienste. In eben dem Grade wie er bemerkt, bewundert und allgemein anfänglich geachtet wurde, ward er eben so geschwind wieder verkannt, beneidet und als Menschenquäler gehaßt, zumal er von jedwedem gleichfalls forderte, mit Leib und Seele Krieger zu seyn, mit Freuden zu entbehren und den Tod zu verachten. An der Spitze der Freiwilligen stand er bei allen nächtlichen gefährlichen Angriffen; nie traf ihn eine Kugel, und seine Person wurde für unverletzbar, so wie seine Nähe für sicher gehalten.

Allein sein immer reger Dienst=Eifer, die beständige Entdeckung von Fehlern und sein unerhörtes Dringen, solchen abzuhelfen, fiel so beschwerlich, so wie denn gleichfalls seine ohnehin böse Zunge keine Schonung oder Verhältnisse kannte.

Nach einem sehr heißen Tage fielen ihm einst statt der gewiß erwarteten Ehrendecoration als Raisonneur Correctionshiebe zu, welche ihn gänzlich verdarben. Mochte nun entweder die Wahrheit seiner völlig vergifteten Zunge zu wahr am Tage liegen, oder befürchtete man aus dem allgemeinen Murren einen Aufstand, oder besorgte man weitere Folgen, kurz man entließ diesen gebornen Krieger als einen oft vom Wahnsinn befallenen und dann irre Reden führenden Aufwiegler. Jetzt ward er lange Zeit der Spott der muthwilligen Jugend, und eben diese Verhöhnung, hin und wieder auch übel angewandter Widerspruch oder bösliche Bestätigung seiner Ideen, hauptsächlich aber auch der Genuß hizziger Getränke, versetzten ihn in eine tiefe Schwermuth. – Nur die Sucht, mit Ehre zu sterben, erhielt ihn am Leben, und kein Brand oder sonstige Gefahr trat in der Nähe ein, wo er nicht als Schutzengel erschien, und, sein Leid vergessend, thätig half; hernach aber seine noch immer unglückliche Lebensfortdauer desto tiefer betrauerte.

Auf dem nämlichen Brandplatze, wo er kurz vorher eine schon ganz für verloren gehaltene Wöchnerin mit deren Kinde aus dem oberen Stockwerke mit solcher Lebensgefahr trug, daß seine Kleidung allenthalben schon sengte, zog sein noch mit Brandblasen ganz übersäetes Gesicht die Aufmerksamkeit der oben mit dem Wiederaufbau des Hauses beschäftigten wilden Zimmerleute auf sich, welchen er bald unter starkem Zutrinken seine Feldzüge erzählen mußte. Kaum erklären sie ihn nun für seigherzig abgedankt, als er sie sämmtlich herausfordert, und den ihn zuerst angreifenden Zimmermann mit dessen ihm entwundener Axt verwundet. Alle übrigen prallen gleich zurück, allein er treibt sie nicht nur vom Bauplatze, sondern verfolgt sie noch weiter in's Dorf, geht dann auf den Haufen, wo solcher am dichtesten steht, los, und spaltet einem eben hinzugekommenen, mit dem Vorgange ganz unbekannten, und daher sich frei ihm entgegenstellenden Zimmermann aus Nordhausen den Kopf, worauf alle in Verruf von ihm erklärt davon laufen. Während der ersten halben Stunde triumphiert er, sich groß fühlend, auf dem Kampfplatze; allein bald hat sein Ehrgeiz seine Gränze erreicht, zumal er in seiner Geistesunruhe statt Bewunderung nur laute Klagen und Vorwürfe hört. Höchst traurig wird er, wie er den Nordhäuser bereits todt findet, und tröstend und sich selbst verwünschend trägt er auf seinem Rücken den Verwundeten nach Hause.

Ganz des Lebens satt überliefert er sich selbst sodann dem Gerichte und bittet um seinen baldigen wohlverdienten Tod.

Vier Tage nach der That brachte indeß die Gewißheit des ihm nun bevorstehenden unvermeidlichen Todes wieder die heißeste Lebenslust bei ihm hervor. Die ihm vorher so trübe Welt erscheint jetzt ihm wieder in dem schönsten Lichte, und das Recht, frei darin zu leben, als das unbeschreiblichste Glück. Jetzt behauptet er, daß die Erde für jeden eigentlich schon ein Paradies seyn müsse, und daß jeder selbst nur durch Ungenügsamkeit, eitlen Wahn und zu wenige Nachgiebigkeit sich dieses schönste Erdenleben verderbe.

Zweimal versuchte er auf die gefahrvollste und mit großen Schmerzen verbundene Weise zu entfliehen, allein vergebens, und ungern muß er auf Vorstellung von dreizehn Zeugen am folgenden Tage schon den Wiederruf wieder zurück nehmen, welchen er den Tag zuvor gleich bei Eröffnung der Todesnachricht, als das letzte Rettungsmittel, noch angewandt hatte.

Wie endlich die Stunde des peinlichen Halsgerichts selbst schlägt, will er anderweit wiederrufen; allein unübertrefflich groß wird seine Freude, als der Prediger ihm unter der Hand eröffnet, daß er wegen des einst rühmlich getödteten Wolfes auf dem Richtplatze nach dem Vater Unser das Wort Gnade hören werde.

Die ihm noch zuerkannte einjährige Gefängnißstrafe schien ihm selbst zu gelinde, und er erbot sich, zu Ehren der Zimmergilde, allenfalls demnächst noch den Staupenschlag erleiden zu wollen. Vorzüglich war aber der ganze Hingang auf den Richtplatz ihm äußerst willkommen, da er bei allem seinen jetzigen unbeschreiblichen Kleinmuth noch als Held vor einer großen Menge jetzt glänzen zu können glaubte.

Dankbar, daß Wölfe erschaffen worden, knieete er ruhig nieder, zumal kurz vorher der Prediger ihm noch versicherte, daß er zu rechter Zeit zum Ausruf des Worts Gnade schon den alten blinden Amtmann Weingel anstoßen wolle; allein während der vieren Bitte lag das Haupt dieses sichern Lebenslustigen schon zu den Füßen des nun bewunderten Scharfrichters, welcher für den ihm gezollten Beifall sein blutiges Richtschwert nach allen Seiten dankend verneigte.[41]

---

Mehrmals ist sonst auf die jetzt ganz abgekommene Strafe des Ersäufens erkannt, und diese noch im Jahre 1765 hieselbst im Ockerflusse bei einer Ehefrau und deren Magd zur Ausführung gebracht, nachdem die neunzehnjährige Magd

---

[41] Der zu dieser Täuschung überredete, wahrscheinlich von Gewissensbissen gequälte Prediger zeigte in seinem nachher zu den Acten gegebenen Berichte, in welchem hauptsächlich die Biographie des Schwermüthigen enthalten ist, an, daß der Wiederruf demselben doch nichts geholfen hätte, daß die Verhehlung des Todes dagegen demselben die bittersten Stunden erspart, und vielmehr jetzt frohe Lebens= und Dankgefühle gegen Gott erweckt, vorzüglich ihn aber vor einer Lüge, dem Wiederruf nämlich, bewahrt habe.

zweimal, die Ehefrau aber viermal mit glühenden Zangen zuvor gezwickt wurde.[42]

Gebrandmarkt ist hier nur wenig, und im J. 1699 zum letztenmale.

Auf die gänzliche Abhauung der Vorderfinger wegen Meineides ist zwar zuletzt im J. 1744 noch erkannt, indeß diese Strafe in zweijährige Karrenschiebenstrafe begnadigungsweise verwandelt.

Häufiger ist jedoch der Staupenschlag zur Ausführung gekommen, und gewöhnlich sind die des Landes Verwiesenen noch zuvor mit dem sogenannten Staupbesen gehörig regalirt, oder, wie die Acten sagen, rechtschaffen damit abgefertigt.

Seit dem Jahre 1707 scheint aber auf Staupenschlag auch nicht weiter mehr erkannt zu seyn.

Wegen gebrochener Landesverweisung wurde im J. 1608 der letzte mit dem Schwert hingerichtet, und wegen Vielweiberei im J. 1743 noch ein mit drei jungen Weibern zugleich verheiratheter Mann auf zehn Jahr in die Karre verurtheilt.

Wegen grober, an seinem Vater verübter Mißhandlung wurde Paas im J. 1590 enthauptet.

Ein ganz vorzüglich geschwinder Gang zeichnet übrigens die ältesten Untersuchungen auffallend aus. Binnen acht Tagen, wenn die That eingestanden, ist auch schon das Strafurtheil abgegeben, und nur in zwei bis drei Sachen findet sich hier eine Beschwerde des Landes=Fiscals, daß Serenissimus unmöglich die Atzungskosten länger für den sogar wochenlang schon sitzenden Inquisiten bestreiten könne.

Auffallend ist es daher noch gar nicht, daß, wenn nach einer am 25sten Junius 1695 zu Uetze begangenen Mordthat schon am 3ten Julius dess. J. das zweite Bestätigungsurtheil einläuft, den verstrickten Thäter der eingestandenen Ermordung halber am nächsten Freitage (den 6ten Jul.) mit dem Schwerte hinrichten zu lassen, im Fall er keine sonderlichen Entschuldigungen machen würde.

Vorzüglich prompt ist die Universität Helmstedt bei Abgebung von Todesurtheilen gewesen. Vielfach sind die Boten gleich am Tage ihrer Ankunft mit den Todesurtheilen zurückgesandt. Sehr auffallend wird es einst gefunden, daß man den Boten, welcher für drei Inquisiten Todesurtheile hat zurückbringen sollen, sogar zwei volle Tage auf seine Abfertigung hat warten, und demungeachtet nur zwei Todesurtheile zurückbringen lassen.[43] Lange ist dieses noch im Andenken geblieben. Der nachherige Amtmann von Hollwede glaubt, daß die Nichteinsendung der Gebühren der Hauptgrund dieser unerhörten Verzögerung damals ge-

---

[42] Die Ehefrau hatte ihren Ehemann mit Hülfe der Magd durch Gift aus der Welt geschafft.

[43] Der dritte, Hansen Hacke, sollte nach wörtlichem Inhalte eines Rescripts des Stadthalters zu Celle vom 13ten Januar 1603 in ewigem, oder doch in so langem Gefängniß bleiben, bis er zu besseren Gedanken gerathen werde, indem man ihm an das Leben nicht kommen könne.

wesen sey, weshalb er im J. 1642 in einem Schreiben an die Facultät bemerkt, daß er binnen 24 Stunden den Boten um so mehr zurück erwarte, „maßen er eine erklecklichte Gebührnisse von 2 Thlr. 4 mgr. in die Acten auf Befehl seines Herrn schon gesteckt habe."

Folgender Fall scheint aber vorzüglich schnell instruirt und entschieden zu seyn.

Zwei Männer, deren Herkunft, Stand und Alter aus den unvollständigen Acten nicht ersichtlich ist, verlassen ihre Heimath wegen der darin grassirenden Pest und begeben sich nordwestlich durch's Sächsische in die hiesige Ocker=Gegend. Kaum haben sie von dem Unglück, welches die Pest in ihren Wohnorten und deren Nachbarschaft angerichtet hat, erzählt, als sie der Polizei bereits in die Hände fallen. – Abends am 14ten August 1690 sind sie arretirt, am 15ten Abends ist die Sache eingesandt, am 16ten erfolgt eine Instruction, und am 20ten desselben Monats ist das dem Landesherrn bereits zur Genehmigung oder zur Gnade vorgelegte Todesurtheil in Meinersen wieder angelangt, worauf folgende Strafe an ihnen sogleich vollzogen wird.

Beide Delinquenten, welche außerhalb Orts vermuthlich in einem Bienenzaun sorgfältig aufbewahrt sind, werden zu einem hochauflodernden Feuer[44] an die Ocker geführt, und unterwegs freundschaftlich unter der Hand benachrichtigt, daß sie sofort mit dem Tode bestraft werden würden.

Während dessen sie sich am Feuer langsam selbst entkleiden, lassen alle getroffene Anstalten sie nur zu sehr befürchten, daß sie lebendig verbrannt werden sollen. Allein für diesmal wird mit großen herbeigeschleppten Feuerhaken nur ihre Kleidung in das Feuer gezogen, und kaum haben sie wieder einige Hoffnung geschöpft, als sie auf einmal in Schlingen, die ihnen von weitem um den Leib geworfen sind, sich befinden, mit welchen sie in die Ocker und in derselben mehrere Male herumgezogen werden. Jetzt zieht man sie anderweit zum Feuer und wirft ihnen zugleich, jedoch nur zur ganz nothdürftigen Bekleidung, altes Zeug[45] mit der Anzeige hin, daß sie gegenwärtig allenfalls gesäubert und rein genug wären, um vor dem peinlichen Halsgerichte ihr Todesurtheil anzuhören. Langsam zu diesem Gericht geführt, bejahen sie dort nochmals, daß sie sich heimlich aus bannisirten Landen in das hiesige Fürstenthum eingeschlichen haben, worauf der Stab gebrochen und der ihnen vor Augen gestellte Scharfrichter aufgefordert wird, an ihnen die Strafe des Stranges sogleich zu vollziehen. Nach Beobachtung der vielen Förmlichkeiten, welche ehemals hier bei Hegung eines solchen Halsgerichts stets vor sich gegangen sind, werden beide arme Sünder unter Begleitung eines großen Trupps von Ausschußknechten, versteht sich rücklings, auf den Wagen gesetzt, damit sie in ihren letzten Betrachtungen durch

---

[44] Das Feuer hat kein Scheiterhaufen seyn sollen. Im J. 1735 wurden zu der hiesigen Hinrichtung eines Mordbrenners zu dessen Scheiterhaufen 18 grüne Pfähle, 1 1/2 Schock Stroh und 1 1/2 Schock Wasen und 1 1/2 Faden trocknes Ellernholz verlangt. Der Scharfrichter bemerkte, daß dies der allergeringste Bedarf sey, und verbat sich dann aber alle ehrenrührige Nackenschläge über zu großen Holzverbrauch.

[45] Die ganze alt zusammengekaufte Kleidung, incl. vier alten Schuhen, kostete 14 g. Laut Rescripts sollte es nothdürftig nur ihnen zugeworfen werden.

den Anblick des unmittelbar hinter ihnen anfahrenden Wagens des Scharfrichters und dessen Knechte ja recht oftmals unterbrochen werden. Nach einer sehr langsamen Fahrt in den ohnehin so tiefen Sandwegen gelangen sie unter dem Todtengesang der Schuljugend endlich zur Fehmstätte, wo bereits eine große Menge Zuschauer sie ungeduldig erwartet.

Gleich bei ihrer Ankunft werden sie nochmals von des Scharfrichters Knechten so weit wie nöthig entkleidet, dann unten an den Galgen geknüpft, und nach dem wörtlichen Inhalte des Rescripts rechtschaffen und dergestalt mit scharfen Ruthen ausgestrichen, daß es ihnen selbst zur wohlverdienten Strafe, andern aber zum warnenden Beispiel hat gehörig dienen können.

Nun endlich wird ihnen, welches nach wörtlicher Vorschrift solange wie möglich zurückgehalten werden soll, damit sie mittlerweile von der Todesangst noch je länger, desto besser gequält werden mögen, eröffnet, daß für diesmal noch Gnade statt Recht ergehen, und statt der wohlverdienten Todesstrafe[46] eine Landesverweisung nur eintreten solle.

Der Begnadigungsact befriedigte den größten Theil der versammelten Menschenmenge gar nicht, und auch an der zwar sehr rechtschaffenen Austheilung des Staupbesens hatte man lange noch nicht genug gesehen. Man betrachtete daher diese beiden vom Morgen mit der sofortigen Vollziehung des Todes immerwährend abwechselnd furchtbar geschreckten Unglücklichen für die Urheber der Versäumniß und des vergeblichen Weges, und hielt dieselben, als sie keinen Beruf fanden, die ihnen angebotene Begnadigung auszuschlagen, für die Freudenstörer des Tages.

Nur mit Mühe konnte man sie aus der murrenden Menschenmasse unbeschädigt heraus bringen, und sie dann unter der Escorte von 20 Ausschußknechten auf die Amts Peinesche Gränze liefern.

Ob diese beiden Fremden nun sich auf sicherer Gränze erst in einem der nächsten Wirthshäuser von ihrem Schrecken zu erholen gesucht, oder nur sich beeilt haben, aus der hiesigen, zwar nicht berpesteten, aber ihnen doch sehr unfreundlich erschienenen Heidgegend so weit wie möglich zu kommen, darüber finden sich in der hiesigen Registratur überall keine weitern Nachrichten.

---

[46] Die schrecklichen Folgen der Pest machten strenge Maaßregeln ganz nothwendig; nur findet sich in den höchst unvollständigen Acten nicht, ob das Vaterland oder der letzte Aufenthaltsort jener beiden Leute öffentlich für bannisirt bei Todesstrafe erklärt war, ferner ob Warnungspfähle dieserhalb an der Landesgränze gesetzt, oder ihnen die Gränze oder überhaupt das ganze Verbot und die darin angedroheten Strafen bekannt gewesen waren.

# Das Repertorium für die alte Registratur des Amtsgerichts Meinersen

*Repertorium I für die alte Registratur des Amtsgerichts Meinersen*
*Criminalia.*
*Conspect, Index und Repertorium der Registratur des Amts Meinersen*
*Abtheilung I nach der seit 1852 geschehen Trennung der Acten des Amtsgerichts*
*und Amts Meinersen.*
*Criminalia seit der ältesten Zeit (1550 et sepp.) enthaltend.*

*NB   Die Acten der ehemaligen Vogtei Uetze sind vom*
*vormaligen Amte Meinersen, theils vom Amtsge-*
*richte an das Amtsgericht Burgdorf abgegeben.*

Dieser Titel leitet einen ausgesprochen umfassenden wie aufschlussreichen Registerband ein, der die zahllosen Kriminalprozesse, die beim Amt Meinersen bis 1846 geführt wurden, auflistet. Hier und da finden wir nebenstehend den Hinweis auf die vollzogene Strafe, im Regelfall bleibt uns das Buch die Nennung der Strafe für Verbrechen, wie Mord, Diebstahl, Pferdediebstahl und Wilddieberei, aber schuldig.

Unter den Verordnungen und Generalia finden wir im vorderen Bereich den Hinweis auf ein „Verzeichniß von 1559 bis 1800 bey dem hiesigen Amte, justificirten Verbrecher" aus dem Jahre 1801. Auf der nächsten Seite folgt vorab eine Auswertung, die sich auf eben dieses Verzeichnis bezieht:

*Es erhellet aus diesem Verzeichnisse daß von 1559 bis 1800 bey dem hiesigen*
*Amte wenigstens 62 Delinquenten mit einer Poena capitalis beleget worden*
*sind. Denn, da in älteren Zeiten viele Inquisiten – besonders wenn ihre Processe*
*etwas verwickelt wurden – an die Fürstl. Canzley zu Zelle abgeliefert werden*
*mußten – und von vielen Acten die Urthel verloren gegangen sind, so ist es sehr*
*wahrscheinlich, daß ihrer noch weit Mehrere gewesen sind.*

*Obige 62 Delinquenten sind aber in folgenden Perioden gerichtet.*

| | von 1559 bis 1600 | bis 1700 | bis 1800 | Summa |
|---|---|---|---|---|
| Mit dem Schwerdte | 4 | 12 | 5 | 21 |
| " " Strange | 6 | 6 | 5 | 17 |
| Ersäuft | 1 | 1 | 3 | 5 |
| Mit dem Rade | | 1 | 1 | 2 |
| " " Staupbesen und Landesverweisung | | 8 | 3 | 11 |
| " " der Karre auf Lebenszeit | | | 3 | 3 |
| " " dem Zuchthause auf Lebenszeit | | | 3 | 3 |
| Summa | 11 | 28 | 23 | 62 |

99

Danach finden wir registriert die Steckbriefe der Zeiträume 1600-1700, 1700-1720, 1720-1740, 1740-1760, 1760-1780, 1780-1800 und 1800-1814. Dann folgen Inquisitionsakten über gefundene tote Körper.

Und dann folgt das umfangreiche Verzeichnis. Nach den Anfangsbuchstaben der Familiennamen geordnet, finden wir stets auf der linken Seite des großformatigen Buches die Jahreszahl, den Namen des Delinquenten und die Art des Verbrechens in chronologischer Reihenfolge, und zwar von einer Hand bis zum Jahre 1801. Nachträge wurden stets im Augenblick des Ereignisses nachgetragen, dafür wurde auch die rechte Seite benutzt, die ursprünglich für Anmerkungen vorgesehen war.

Die Anmerkungen, soweit sie gelegentlich vorhanden sind, vermelden den Vollzug von Strafen.

**Quelle:**

Niedersächsisches Hauptstaatsarchiv Hann. 72 Meinersen Nr. 31

*Aus dem Mittelalter*

# Hinrichtungen: Absurde Zahl

**Matthias Blazek aus Adelheidsdorf antwortet auf den Leserbrief von Wolfgang Krüger, der sich mit dem Sachsenspiegel Nr. 45 vom 11. November befasst (CZ vom 21. November).**

Sehr geehrter Herr Krüger, nach der Durchsicht Ihres Briefes an die Cellesche Zeitung komme ich zu dem Schluss, dass Sie nur allzu engstirnig mit der Thematik und vor allem mit meinem Aufsatz umgehen. Im Gegensatz zu Ihnen nenne ich deutlich die Bezugsquellen, insofern unterstreiche ich in aller Deutlichkeit die Ausführungen von Herrn Manecke bezüglich der Errichtung der Hochgerichtsstätten. Sie, Herr Krüger, werden die damals getätigten Aussagen eines Zeitzeugen heute wohl kaum widerlegen können.

Ihre Kernaussage nimmt sich die „absurde Zahl" der Hinrichtungen auf der Hochgerichtsstätte bei Ohof vor. Hier unterstelle ich Ihnen eine mangelhafte Recherche. Sie hätten einbeziehen müssen den kurzen Bericht von Herrn Babel in der Celleschen Zeitung vom 13. November. Da musste nämlich kurzfristig die fehlerhafte Überschrift, die nicht dem Verfasser zuzuschreiben ist, richtig gestellt werden. Hätte sich die Schriftleitung der Celleschen Zeitung unbedingt auf diesen Zeitraum von 20 Jahren beschränken wollen, in denen 26 Personen wegen Mordes, Raubes, Pferde- und anderer Diebstähle Verurteilte dem Richtschwert, dem Strick oder dem Rad verfallen waren, hätte sie richtig den Zeitraum 1597 bis 1617 statt 1824 bis 1844 (Zahlen, die in meinem Text gar nicht auftauchen) nennen müssen. Das wurde so am 13. November auch dargestellt.

Insofern tun Sie Ihnen und mir mit dieser Form von Leserbriefen keinen Gefallen.

**Matthias Blazek**

**Briefe an die Cellesche Zeitung**

eingereicht am 21. November 2006
(nicht abgedruckt)

# Auflistung der im Amt Meinersen in der Zeit von 1559 bis 1829 hingerichteten Personen:

Die Liste der im Amt Meinersen hingerichteten Personen ist riesig. In verschiedenen Anläufen haben die Chronisten Versuche unternommen, möglichst viele Schicksale in Form kurzer Notizen aufzuzeigen. Amtmann Niemeyer nannte in seinem Aufsatz aus dem Jahre 1819 und in seinem Buch aus dem Jahre 1824 zahlreiche Personen, die von der Justiz verurteilt worden waren, Theodor Roscher, bis 1875 in der älteren Registratur des Amtsgerichts Meinersen angestellt, unternahm in seinem Aufsatz im 1. Band der „Hannoverschen Geschichtsblätter" (1898) den ersten Versuch einer detaillierten Auflistung, wie er es einem Verzeichnis aus dem Jahre 1801 („Verzeichniß der von 1559 bis 1801 bei dem hiesigen Amte justificirten Verbrecher", Verfasser: Drost von Harling) entnommen hatte, und Ernst Heuer schließlich präsentierte in der Seershausener Chronik neue Ergebnisse.

An einigen weiteren Stellen an unterschiedlichen Orten finden sich überdies kurze Hinweise zu den einzelnen Schicksalen. Jahreszahlen und Namensschreibweisen sind leider nicht immer identisch. Hier folgt eine aktualisierte Auflistung der im Amt Meinersen in der Zeit von 1559 bis 1829 hingerichteten Personen, wobei als richtige Grundlage jenes Verzeichnis des Beamten von Harling aus dem Jahre 1801 angenommen wird:

1559: Claus Bohlmann. Diebstahl (Linnendiebstahl von 53 Reichstalern Wert). Strang.
1575: Adelheit Schraders. Ermordung der Tochter. Ersäuft.
1590: Heinrich Peers. Grobe Misshandlung seines Vaters. Schwert.
1591: Ein Unbenannter. „Nahmen der Delinquenten: eines Sodomiten welcher im Jahr 1591 mit dem Schwerdte hingerichtet worden ist".
1596: Heinrich Nosen. Diebstahl. Schwert und der Körper unter dem Galgen begraben.
1596: Jobst Heinemann. Diebstahl. Schwert und der Körper unter dem Galgen begraben.
1596: Julius Rotermund. Pferdediebstahl. Strang.
1597: David Abbins. Diebstahl. Strang.
1597: die Brüder Heinrich und Ernst Sander. Mord und Diebstahl. Strang.
1597: Hans Luderbach. Diebstahl. Landesverweisung. (Repertorium)
1599: Maria Reichers. Kindermord. Landesverweisung. (Chronicon Obershagense)
1602: Berward Kemner. Brudermord. Schwert.
1603: Hennig Kobbe. „In augenblicklicher Übereilung ausgeführter Mord". Schwert.

1603: Hansen Hacke. „In augenblicklicher Übereilung ausgeführter Mord". Schwert (laut Reskript des Statthalters zu Celle vom 13. Januar 1603 aber Gefängnisstrafe, „indem man ihm an das Leben nicht kommen könne").

1604: Catharina Lahmanns. Blutschande. Kirchenbuße und Geld.

1607: Hennig Schraders. Mord. Schwert.

1607: Heinrich Cordes. Pferdediebstahl (43 Pferde). „Dieser Inquisit hat sich im Gefängnisse erhängt, nachdem er gütlich bekannt 22 Pferde gestohlen zu haben." (Repertorium)

1608: Peter Behrens. Sodomie. Schwert.

1608: Georg Knebel. Ermordung seiner Ehefrau. Schwert, der Körper nächstdem, an dem Ort, wo die Tat geschehen war, auf das Rad gelegt.

1608: Dittmar Schlintholz (laut Niemeyer, 1819, „Schlinthold"). Diebstahl. Schwert.

1608 (laut Roscher 1609): Martin Thoer. Pferdediebstahl (24 Pferde). Strang.

1608: NN. Gebrochene Landesverweisung. Schwert.

1609: Hennig Neuer. Pferdediebstahl (17 Pferde). Strang.

1612: Lüdecke Bockemeyer. Mord. Schwert.

1612: Heineke Roden. Unzucht. Kirchenbuße.

1614 (1. Juli): Cord Palemann. Mord. Schwert. (Chronicon Obershagense)

1614: Schrader. „In augenblicklicher Übereilung ausgeführter Mord". Schwert.

1616: Hans Küster. Blutschande. Staupenschlag und Landesverweisung.

1616: Julius Rampau (laut Niemeyer, 1819, „Rampage"). Pferdediebstahl (vier Pferde). Strang, in Celle an ihm vollzogen.

1617: v. Cübling. Räubereien.

1617: Hennig Heuer. Vatermord. „Schwerdt, der Körper nächstdem gerädert." (Repertorium)

1617: Heinrich Hohmann. Mord. Schwert.

1617 (14. September): Grone (auch Ebeling genannt). Mord, Straßenraub, Pferdediebstahl (24 Pferde). Räderung.

1617: Arend Kemner. Diebstahl. Staupenschlag und Landesverweisung.

1618: ein reicher Hofwirt zu Stederdorf. Tötung des Vaters. Räderung.

1619: Hans Wedekind aus Eixe im 23. Lebensjahr. Viehdiebstahl (35 Pferde, 185 Schafe, 20 Schweine) und Mord. Urteil vom 10. Februar 1617. Das Rad von oben herunter.

1621: Hans Landesberg. Mord und Diebstahl. Mit glühenden Zangen gerissen, dann das Schwert.

1621: Korbmacher (Mitglied der Bande Grone). Mord und Diebstahl. Mit glühenden Zangen gerissen, dann das Schwert.

1621: Gillien. Mord und Diebstahl. Mit glühenden Zangen gerissen, dann das Schwert.

1621: Carsten Musmann. Diebstahl. Landesverweisung. (Repertorium)

1622: Heinrich Münzel. Pferdediebstahl. Landesverweisung. (Repertorium)

1653: Hennig Schrader und Anna Bortfeld. Ehebruch. 100 Reichstaler und Kirchenbuße für den Ehebrecher.

1656: Heinrich Horn. Mord. Zahlung von 30 Reichstalern 12 Groschen. (Repertorium)

1657: Cord Warnecke. Diebstahl. Staupenschlag und Landesverweisung.

ohne Jahresangabe: Thile Bostfeld. Diebstahl. Staupenschlag und Landesverweisung.

1660: Hans Catenhusen. Diebstahl. Staupenschlag und Landesverweisung.

1662: Margarethe Lueders. Kindermord. Ersäuft und auf dem Kirchhof begraben.

1668: Hennig Brackenhof. Pferdediebstahl. Strang.

1668: Heinrich Behrens. Pferdediebstahl. Strang.

1672: Ernst Friederich Wolsch. Wilddieberei. „Ins Besondere wegen eines in dem Heemeler Walde angeschoßenen und von dort bis in das hiesige Territorium, in den sogenannten Crathe, verfolgten, und von hier weggebrachten Hirsches." (Strafe?)

1673: Daniel Schröder. Diebstahl. Landesverweisung.

1675: Hans und Hennig Schmidt. Diebstahl. „Hans Schmidt ist zu Duddenstedt aufgehangen worden, woraus erhellet, daß die von Oberg ehemals die Criminal Jurisdiction exerzieret haben."

*Die Stadtausweisung, die durch Prügeln geschah, durfte nur bis an die Grenze der Stadtmarkung erfolgen.* *Zentrale für Berufsinformation der Niedersächsischen Polizei*

1681 (Jahresangabe auch: 1619, 1690): Andreas Meyer. Weil er aus pestverrufenen Orten ins Land gekommen war. Strang, begnadigungsweise scharfer Staupenschlag unterm Galgen und Landesverweisung.

1681 (Jahresangabe auch: 1619, 1690): Thilo Schuhmacher. Weil er aus dem Magdeburgischen ins Land gekommen war. Strang, begnadigungsweise scharfer Staupenschlag unterm Galgen und Landesverweisung.

1682: Anna Isensee. Kindermord. Staupenschlag und Landesverweisung.

1686: Margarete Catharina Blickwede. (Heuer)

1687: Hans Wiedenroth und Konsorten. Betrügerei (Verfälschung der Mumme). (Strafe?)

1688: Heinrich Uhlenbecker. Drohung, das Dorf Schwüblingsen in Brand stecken zu wollen. Landesverweisung.

1689: Johann Meyer. (Heuer, möglich Zahlendreher 1698 oder 1699, da nach 1695 in die Liste gesetzt)

1691: NN (Enkelsohn eines Räubers der Bande Grone). Sodomie. Schwert, er wurde mit seiner Lieblingskuh, welche von des Henkers Hand gleichfalls erstochen werden musste, auf dem Schindanger eingescharrt.

1693: Heinrich Krüger. Mord. Schwert.

1694: Hans Hardecke. Mord. Schwert.

1695 (6. Juli): NN. Mordtat zu Uetze am 25. Juni d. J. Schwert.

1699: Hans Evers. Pferdediebstahl. Strang.

1699: Catharina Krebs. Diebstahl. Staupenschlag, Brandmarke und Landesverweisung.

1699: Hans Wolter. Pferdediebstahl. Strang. (Repertorium)

1700: Sander Camps. Diebstahl. Staupenschlag und Landesverweisung.

1701: Hans Wrede. Pferdediebstahl. Staupenschlag und Landesverweisung.

1701: Margaretha Duschen. Diebstahl. Staupenschlag und Landesverweisung.

1707: Ilse Catharina Wietfeld. Kindermord. Schwert, danach der Kopf auf einen Pfahl gesteckt und der Körper nach Helmstedt auf die Anatomie gesandt.

1707: Margaretha Duschen. Diebstahl. Scharfer Staupenschlag und Landesverweisung. (Repertorium)

1708: Ernst Wiecken und Komplizen. Pferdediebstahl. Für Wiecken: Strang (3. Januar 1709).

1717: Anna Catharina Röttjes. Kindermord. (Heuer)

1719: Anna Cathrina Schepelmann. Kindermord (das Kind wurde am 20. Mai 1719 in Eltze beerdigt). In der „Bath-Weide" ersäuft.

1722: Peter Bißam. Betteln auf falsche Pässe. 1/2 Jahr die Karre zu Hameln. (Repertorium)

1725: Christian Schrifer. Diebstahl. Landesverweisung.

1729: Joachim Gehrdes. „Verbrechen: Ausgestohlene Injurien und Drohungen". Karre auf 10 Jahre zu Nienburg. Hameln. (Repertorium)

1730: Ilse Margarethe Sievers. Wiederholte Schwängerung. Landesverweisung. (Repertorium)

1731: Johann Georg Schulze. Betteln auf falsche Brandbriefe. Die Karre auf zwei Jahre zu Nienburg. (Repertorium)

1733: Hennig Degener. Pferdediebstahl. Karre auf Lebenszeit („lebenswieriger Festungsbau") zu Hameln.

1733: Johann Andreas Sanig. Diebstahl und Feueranlegung auf dem dortigen Amt. „Dieser Sanig war Schreiber auf dem hiesigen Amte, bey dem damaligen Drosten und Hofrichter von Hohnhorst. Die Strafe war das Schwerdt und nächstdem Verbrennung des Cörpers. In dieser Acta ist auch eine ausführliche Vorschrift zur Abhaltung des peinlichen Hals Gerichts vorhanden." Das Urteil wurde 1735 vollstreckt. Niemeyer schreibt: „Im J. 1735 wurden zu der hiesigen

Hinrichtung eines Mordbrenners zu dessen Scheiterhaufen 18 grüne Pfähle, 1 1/2 Schock Wasen und 1 1/2 Faden trocknes Ellernholz verlangt.")

1735: Anna Catharina Wreden, Niemeyers Ehefrau. Diebstähle. Zuchthaus auf Lebenszeit.

1735: Anna Hedwig Wicken(-Volbrecht). Wiederholte (viermalige) Schwängerung. Ewige Landesverweisung.

1736: Hennig Heine. Holzdieberei. Karre auf ein Jahr zu Lüneburg. (Repertorium)

1737: Johann Heinrich Koenemann und Sohn. Diebstahl. „Der Vater ist bey Gelegenheit, daß man ihn hat zum Verhöre führen wollen der Wache entsprungen und hat sich ohnweit Seershausen in der Ocker ersäuft, weshalb er nachmals auf dem Schindanger begraben worden ist." (Repertorium)

1738: Hans Kobbe. Kindermord. Schwert.

1740: Heinrich Hohmann. Mord und Diebstahl. Rad von unten auf.

1741: Heinrich Degener. Pferdediebstahl. Karre auf Lebenszeit zu Hameln.

1742: Christoph Rosenpflänzer. Vielweiberei („ins Besondere 3 Weiber"). Karre auf 10 Jahre zu Nienburg.

1743: NN. Vielweiberei (mit drei jungen Frauen zugleich verheiratet). Zehn Jahre Karre.

1744: NN. Meineid. Zwei Jahre Karre.

1745 (29. Oktober): Sophia Amalia Koch aus der Wolfenbütteler Gegend. Diebstahl. Strang.

1745: Heinrich Heine. Diebstahl. Strang, nach der Begnadigung die Karre auf Lebenszeit zu Nienburg.

1746 (8. Juli): Catharina Dammann, geb. Beinsen, aus Hänigsen im Alter von 27 Jahren. Pferdediebstahl. Schwert.

1747: Johann Jürgen Luttermann. Meineid. Statt zuerkannter Abhauung der vorderen Fingerglieder, begnadigungsweise auf 2 Jahre die Karre zu Hameln. (Repertorium)

1748: Christian Adolph Martens. Pasquilles (Schmähschriften). „Der Inquisit reinigte sich mit einem Eyde, und belangte nachmals das hiesige Amt i. p. Iniuriarum [Beleidigung]." (Repertorium)

1750: Anna Ilse Eickenroths. Diebstahl. Zuchthaus auf Lebenszeit.

1750: Christian Bühring. Diebstahl. Zuchthaus auf Lebenszeit.

1754: Lüdecke Feldmann. „Verbrechen: Falschen Banquerots". 14 Tage Gefängnis. (Repertorium)

1755: Christoph Hummel. Pferdediebstahl. Geständig durch die Tortur. Strang.

1755: Hans Heinrich Koeter. Pferdediebstahl. 6-jähriger Festungsbau zu Lüneburg. (Repertorium)

1757: Johann Heinrich Scharlemann und Catharina Kayser. Pferdediebstahl. „Beyde Inquisiten sind durch alle Grade torquiret." (Repertorium)

1765: Maria Dorothea Heuern (Hoyers) aus Alvesse. Vergiftung ihres Ehemanns. Viermal mit glühenden Zangen gerissen, in einem zugebundenen Sack in der Oker ertränkt und unter dem Galgen begraben.

1765: Dienstmagd Anna Ilse Gieselern im Alter von 20 Jahren. Vergiftung ihres Brotherrn. Zweimal mit glühenden Zangen gerissen, gemeinsam mit der Gattenmörderin in der Oker ertränkt und unter dem Galgen begraben.

„Nachdem die Erstere mittelst der Tortur zum Geständnisse gebracht, sind beyde Inquisitinnen am 20 Junius 1765, die Erstere nach 4 glühenden Zangengriffen, die Andere nach 2 glühenden Zangengriffen in der Ocker ohnweit Ahnsen ersäuft und hierauf unter den Galgen begraben worden."

1768: Friedrich Daniel Otte. Pferdediebstahl. Strang.

1800 (15. August): Johann Conrad Witneben. Pferdediebstahl (11 Pferde). „Strang, so am 15. August 1800 auf der Fehmstätte bei Ohof an ihm vollzogen wurde." Dazu die „Hannöverischen Anzeigen" vom 1. September 1800: „Vollzogene Todesstrafe. Meinersen. Nach dem allerhöchst bestätigten Erkenntnisse Königl. Churfürstl. Justizcanzlei zu Celle, ist der Inquisit Johann Conrad Witneben aus Behrenbostel Amts Ricklingen, wegen siebenmal wiederholter Pferdediebstähle, am 15ten August d. J. mit dem Strange vom Leben zum Tode gebracht." Und das Repertorium über ein Ereignis fast genau ein Jahr später: „In der Nacht vom 12. auf den 13. August 1801 wurde der Kadaver vom Galgen gestohlen."

## Vollzogene Todesstrafe.

**Meinersen.** Nach dem allerhöchst bestätigten Erkenntnisse Königl. Churfürstl. Justizcanzlei zu Celle, ist der Inquisit Johann Conrad Witneben aus Behrenbostel Amts Ricklingen, wegen siebenmal wiederholter Pferdediebstähle, am 15ten August b. J. mit dem Strange vom Leben zum Tode gebracht.

*Hannöverische Anzeigen vom 1. September 1800. Repro: Blazek*

1816: Franz Wiegmann. Pferdediebstahl. An ihm wurde 1818 die letzte Tortur in Hannover vollzogen.

1829 (27. Februar): Johann Hennig Wrede (auch Schäfer genannt) aus Eltze im Alter von 31 Jahren. Mord. Schwert.

Im Niedersächsischen Hauptstaatsarchiv in Hannover, Magazin Pattensen, befindet sich die Akte, betreffend Johann Heinrich Christoph Schlieper aus Meinersen wegen Tötung der Ehefrau (1839). 1850 folgte das Urteil: lebenslänglich Karre in Stade. Die Strafanstalt zu Stade war für Kettensträflinge ersten Grades und für männliche Zuchthaus-Gefangene ersten Grades bestimmt. Die Beschäftigung der Sträflinge war von 1848 bis 1855 vorwiegend im Freien, danach überwiegend im Haus bei sitzender Lebensweise.[47]

---

[47] Nds. HptStA Hann. 26a 7232. Johann Eduard Wappäus: Allgemeine Bevölkerungsstatistik, zwei Bände, Leipzig 1859/61.

# Vier Mordtaten in neun Jahren

Wenn die Medien heute von Mord, Totschlag und anderen Gräueltaten berichten, dann wird oft die Meinung vertreten, dass früher die Zeiten besser waren, dass damals Gesetze herrschten, die solche heimtückischen, grausamen oder im Affekt verübten Verbrechen verhinderten.

Ein Blick in die Heimatgeschichte zeigt allerdings, dass eher das Gegenteil der Fall war. Unsere Betrachtung beschränkt sich dabei auf die Ortschaft Hänigsen, und es erscheint kaum glaublich, dass uns aus diesem kleinen Dorf, das zu Beginn des Dreißigjährigen Krieges kaum 600 Einwohner zählte, vier Mordtaten überliefert sind, die innerhalb von neun Jahren geschahen.

Das Hänigser Kirchenbuch, in dem örtliche Begebenheiten festgehalten wurden, reicht nicht so weit zurück, aber diese Verbrechen müssen auch damals schon die Gemüter so sehr bewegt haben, dass sie in das 1669 begonnene Kirchenbuch des Nachbardorfes Obershagen eingetragen beziehungsweise übertragen worden sind.

Uneheliche Mütter wurden Opfer ihrer verzweifelten Mütter. Im „Chronicon Obershagense", dem Hauptabschnitt in der Chronik der evangelisch-lutherischen Kirchengemeinde Obershagen 1669-1736, ist ein Fall, der sich 1599 in Hänigsen zugetragen hatte, nachgetragen worden. Überhaupt wurde notiert (Seite 3, Stempelaufdruck 13):

*Anno [15]99.*

*hl Martini pastoris zu obershagen Tochter Elisabeth den 5t xbr. getaufft.*

*Item des Donnerstags nach ostern ist Hinrich Krauels Sohn aus Hänigsen Lüdeke aus verzweiffelung vmb 11 schläge mittags muthwillig in einen brunnen gesprungen v. sich erseufft.*

*Item daselbst hat eine Hure ein Kind, so Sie in Unzucht mit ihres Vaters Knechte gezeuget, vmbgebracht, ist im Martie geschehen, Sie hat geheißen Maria Reicherß ist zu Meinerßen peinlich verhöret, endlich a. auff vorbitt des Landes verwisen.*

Selbstmord wurde in der frühen Neuzeit in der Landesgesetzgebung – nicht in der Carolina – zu einer strafbaren Handlung. Im 16. und 17. Jahrhundert verfestigte sich seine Kriminalisierung. Vielen Melancholikern wurde auf Bitten der Angehörigen im 17. und beginnenden 18. Jahrhundert ein stilles Begräbnis auf dem Kirchhof gewährt. Die theoretisch geforderte strenge Bestrafung wurde nicht konsequent durchgesetzt. Treibende Kraft waren die Hinterbliebenen.

Im Chronicon Obershagense ist weiter nachzulesen:

*Anno 609.*

*Den 11t Apr. hora 5 matutiva hat Shm Hinrich Daldorp von Schwichelin Hans Dernden stuben zu Hänigsen Selbst d. Hertz abgestochen v. ist den 12 hujus hora 5 vestina auff befehl des hl Supint. zu Burgtorff v. Ambtmans zu Meinerßen von den Seinigen ohn gesang v. Klang auffn Kirchhoffen die straße begraben worden.*

*(...)*

*Anno 614.*

*Den 4t Juny hat Curd pahlman von Henigsen instinctu Diaboli [auf Antrieb des Teufels] Herman witten in Hans Dithens Hause zu Hänigsen beym pfingstbier mit einem meßer tod gestochen, ist hernach den 1ten July zu meinerßen enthäuptet worden.*

Pfingstbier ist die früher übliche Bezeichnung für das Schützenfest. Diese traurige Begebenheit stellt zugleich die älteste Nachricht über die Durchführung von Schützenfesten in Hänigsen dar, die somit eine fast 400 Jahre alte Tradition haben. Die Feste wurden damals in den Bauernhäusern gefeiert. Um welche Hofstelle es sich bei Diethers oder Diekens Haus gehandelt hat, ist heute nicht mehr zu ermitteln, vielleicht geschah der Mord auf einem der Dierks-Höfe, Nr.15 oder Nr. 64.

Bereits 1616 ereignete sich in der Feldmannschen Gastwirtschaft, die sich damals in Adams Hof (Halbhof Nr. 26) an der heutigen „Alten Poststraße" befand, eine ähnliche schwere Bluttat:

*Anno 616.*

*Dnca. [Dominica] Jubilate war der 21t. Apr. abends vmb 10 vhr, ist Hans Schwenken ohn gegebene vhrsache, von Hans Homan auff Feldman des Krögers hoffe 3 mahl in die brust gestochen d. er alsbald tod geblieben, der Thäter ist entkommen.*

Acht Jahre später wurde erneut von einer Mordtat unter Alkoholeinfluss berichtet. Sie geschah in der Pahlmannschen Gastwirtschaft. Das ist die eingegangene Kötnerstelle Nr. 34, die sich dort befand, wo heute das Geschäftshaus Cordes steht:

*Den 28. Januar 1623 ist Stephan Berchmann zu Hänigsen des Abends um 10 Uhr von Hinrich Brandes Sohn, Hansen, in Zacharias Pahlmanns Hause wegen des [Karten-]Spielens mit einem großen Messer durch die Brust in die Lunge gestochen, davon er den 1. Februar gestorben. Der Mörder floh.*

Brutal, grausam und unverständlich erscheint uns zum Schluss die vierte Mordtat, von der das Obershagener Kirchenbuch aus dieser Zeit berichtet:

*Den 5. Octobris (1622) hat Hinrich Feldtmann, der Rademacher aus Hänigsen, im Felde nach dem Homannsberge [Ackerland am Schwüblingser Wege] gepflüget und dieselbe aus Ungeduld mit der Rhüden [Eisen zum Reinigen der*

*Pflugschar] todt geworfen oder geschlagen, welche todt heimgeführet und vom Vogt zu Uetze, Herrn Casparn Fricke, Pastor zu Hänigsen, den Holzvögten und anderen Leuten ist besichtiget worden im Beisein ihres Mannes, welcher sie bei der rechten Hand hat fassen und hernach die Hand auf ihre Brust hat legen müssen. Hat aber kein Zeichen von sich gegeben, weil sie keine Wunde, sondern einen braunen Fleck am Halse gehabt.* (Man glaubte damals, dass die Wunden eines Erschlagenen von neuem anfingen zu bluten, wenn der Mörder den Toten berührte.)

*Der Mann ist alsbald gefänglich genommen und nach Meinersen gebracht, aber nach wenigen Tagen nebst einem Diebe von Haimar, so Pferde gestohlen, losgebrochen und in der Nacht davongegangen. Der Dieb ist wiedergefunden, aber der Frauenmörder ist davon kommen.*

Wir wissen nicht, ob die Aufzählung von vier schweren Bluttaten innerhalb von neun Jahren vollständig ist; aber es müssen vor 390 Jahren schlimme Zeiten gewesen sein, in denen ein Menschenleben nicht viel galt. Zwar befahl das Gesetz, dass auf Mord und Totschlag grundsätzlich die Todesstrafe stand, doch was nützt es, wenn sich drei der vier Mörder der Aburteilung durch die Flucht entziehen konnten. Auch daran wird deutlich, wie unterentwickelt das Polizeiwesen und wie unsicher die Lebensverhältnisse waren.

**Anmerkung:**

Cord Palemann taucht im Repertorium der Registratur des Amts Meinersen fälschlicherweise erst im Jahre 1714 auf. Die Akten sind vernichtet. Cord Palemann wurde unter dem Buchstaben „P", der Chronologie folgend, an fünfter Stelle (nach dem Einbrecher Christian Pickenpack, dessen Prozess 1687 geführt wurde) aufgelistet. Mit anderer Schrift wurde auf der rechts gegenüberliegenden Seite angemerkt: „ad Nro. 6. Strafe. Das Schwerdt."

# Die arme Sünderin

Ein Glöckchen hört ich läuten,
so bald die Nacht verwich;
es war das Sünderglöckchen,
es läutete um dich.

Der Richter sprach das Urteil,
der Richter brach den Stab;
der Mönch in schwarzer Kutte
das Abendmahl dir gab.

Der Henker im roten Mantel,
der schnitt das Haar dir ab;
und seine sieben Knechte,
die gruben dir das Grab.

Und alle, die es sahen,
die haben da gesagt:
Sie hat ein Herz ermordet,
und das hat sie verklagt.

**Hermann Löns, 1866-1914**

(aus: Hermann Löns: Sämtliche Werke, Band 1, Gedichte/
Der kleine Rosengarten, Leipzig 1924, S. 314)

# Den Straftätern per Steckbrief auf der Spur

Besonderes Zeugnis über die Kriminalgerichtsbarkeit in den Ämtern geben die „Hannoverischen Anzeigen". Hier finden sich neben allgemeinen Mitteilungen und Anzeigen auch gerichtliche Notifikationen und auch Steckbriefe, mittels derer nach Tatverdächtigen und auch nach entflohenen Häftlingen gefahndet wurde. Hier folgen drei Steckbriefe aus dem 18. Jahrhundert:

„Hannoverische Anzeigen" vom 27. Mai 1765:

### Steck=Brief.

**Celle.** *Eine in dem Wirthshause zum König von Schweden hieselbst im Dienst gestandene Frauensperson, Namens* **Louise Wulffen**, *ohngefehr 26 Jahr alt, aus Hänigsen Amts Meinersen gebürtig, hat sich wegen eines begangenen Kindermordes sehr verdächtig gemacht. Sie ist mittelmäßiger schmaler Statur, länglicht schmalen Angesichts mit einigen Sonnenflecken, hat bräunliches Haar mit einigen Sonnenflecken, und hat bey ihrer Flucht eine braune catune Mütze, ein violet catunen Camisohl, und einen rothen oder auch grünen gestreiften beyerwandten Rock angehabt, auch ein in weiß Leinen gewickeltes Paquet unter den Armen getragen. Wann nun dem Publico daran gelegen, daß diese Uebelthäterin zur gefänglichen Haft gebracht werde; Als werden alle und jede Obrigkeiten geziemend ersuchet, vorgeschriebene Person, fals sie sich in ihren Gerichtsbarkeiten betreten lassen solte, arretiren zu lassen und der Königl. Burgvoigtey hieselbst gefällige Nachricht davon zu ertheilen.*

„Hannoverische Anzeigen" vom 25. Februar 1782:

### Steck=Brief.

**Meinersen.** Ein Einwohner in dem Dorfe Oelerse, hiesigen Amts, Namens **Johann Langeheine**, 35 Jahr alt, gegen 6 Fuß lang, starken schieren Angesichts mit schwarzbraunen Augen, auch dunkelbraunen Haaren, so etwas kraus, und gewöhnlich einen blauen Rock mit weißen Knöpfen tragend, ist entwichen, weil *ein anderer Einwohner, dem er eine Ohrfeige gegeben und zur Erde geworfen, den dritten Tag nachher gestorben. Wenn nun sehr daran gelegen ist, selbigen wiederum habhaft zu werden; so werden hiedurch alle Obrigkeiten geziemend ersucht, auf gedachten Langeheine genau achten zu lassen, wenn er betroffen würde, ihn in Verhaft zu nehmen, und hiesigem Amte gefällige Nachricht davon zu ertheilen.*

Ilse Catharina Grünewald, genannt Rust, aus Uetze im Amt Meinersen, war eine inhaftierte nichtadelige Person, die vor 1828 in Niedersachsen straffällig geworden war. Sie wurde damals erkennungsdienstlich von der Polizei erfasst und mit dem Namen, dem Verurteilungsort, dem Geburtsort, dem begangenen Vergehen oder Verbrechen, ihrer zuerkannten Strafe sowie einer Personenbeschreibung (einem „Signalement") registriert.

Als Verbrecher aus Mecklenburg und Umgegend 1802-1817 wurde Dorothea Westermann aus Dieckhorst im Amt Meinersen aktenkundig.

Oder man hatte jemanden dingfest gemacht, von dem man nur vermutete, dass er ein Krimineller gewesen sei. In den „Hannoverischen Anzeigen" vom 6. Dezember 1765 verlautet:

### Gerichtliche Notificationes.

**Meinersen,** *den 2$^{ten}$ Decembr. In hiesigem Amte ist ein Mensch, seines angegebenen Namens nach,* **Joh. Georg Nietz,** *aus Nord=Leda im Lande Hadeln gebürtig, dem Ansehen nach über 30 Jahr, seiner Aussage nach aber erst 25 Jahr alt, etwa 6 Fuß hoch, länglichten Gesichts, schwarzer Haare, einen grauen lakenen Surtout, blau laken Camisol und Beinkleider mit cameelhaarnen Knöpfen von gleicher Couleur, blau wollene Strümpfe, runde Schuhe mit weissen metallenen runden Schnallen, einen rothen halbseidenen Tuch mit weissen Strichen um den Hals, und einen schwarzen Huth tragend, als ein Vagabonde in Verhaft gezogen. Da nun aus einigen Umständen zu vermuthen, daß dieser Mensch entweder aus dem Verhaft oder sonst irgendwo heimlich entlaufen, oder gar zu einer Diebesbande gehören mögte; so werden alle und jede, besonders alle Obrigkeiten geziemend ersucht, fals jemand von diesem Menschen etwas wissend, oder er sich eines Verbrechens schuldig oder verdächtig gemacht hätte, hiesigem Amte binnen 3 Wochen* a dato *Nachricht davon zu ertheilen, widrigenfalls mit selbigem, als mit einem Vagabonden, der Verordnung gemäß verfahren werden wird.*

für das Königreich Hannover.

№ 2. Den 15. Januar 1827.

# Prozess gegen den Nachrichter Suhr in Celle

Neben dem Hospital St. Georg am Ende der Celler Vorstadt Blumlage befand sich das „kleine Schilderhaus". Von dort aus ließ der Nachrichter seine Knechte die Kadaver gefallener Tiere zum Abdeckereiplatz im Bereich der Gerichtsstätte transportieren. Der genommene Weg führte in gerader Linie dorthin, über das Feldland des Hospitals St. Georg.

In den Jahren 1762 bis 1768 führte das Hospital St. Georg in der Altenceller Vorstadt einen Prozess gegen den Nachrichter Johann Ludwig Jacob Suhr, vertreten durch den Anwalt der Königlichen Großvogtei, in punkto *limitum der Gerichtsstätte et viae.*

Für die Betrachtung von Kriminaljustiz und Nachrichterei im Celler Stadtbereich ist diese recht umfassende Akte unerlässlich. Sie liefert Einblicke in das Tätigkeitsfeld des Abdeckers und auch die Praxis der peinlichen Gerichtsbarkeit in damaliger und früherer Zeit. In Zeugenvernehmungen hören wir von den Knechten des Nachrichters, die inzwischen in Uetze lebten und arbeiteten.

Es handelt sich um den behördlichen Schriftverkehr, der vor Abgang hier und da im Entwurf noch verbessert wurde.

Obenauf finden wir ein Schriftstück undatiertes Schriftstück, das einen ersten Eindruck vermittelt von dem noch folgenden Aktenberg:

*Burgvogt*

*Es ist seit einiger Zeit das verreckte Vieh auf der dem Hospital St. Georg Zehnt und Feldlant abgedeckt worden, und ein ... Gerippe und Knochen sind die Überbleipsel, welche dasselbe noch jetzo ... . Da es nun die höchste Zeit ist, daß dieses Land für disjährige Saat zubereitet wirt, und Ew. p. ... vorhin laut des copeyl. Anschlusses in einem ähnlichen Falle den Nachrichter Suhr ..., dergleichen anzuschaffen, man auch für Geld keine Leute kriegen kan, die sich deren vergriffen wolten, so ... Ew. p. wir gehorsamst bitten, dem Nachrichter poenaliter aufzugeben, daß er die Gerippen und Knochen ... Hospital komt so fort wegschaffen müsse.*

[umseitig steht nur oben das Wort „Memorial".]

Von ordentlicher Handschrift ist das nachfolgende Papier:

*Demnach seit einiger Zeit verschiedentlich beschwerden eingegangen, daß der Nachrichter Suhr das verreckte Vieh auf dem Feldlande abdecken und das Luder daselbst liegen laße, und dann auf des brantewein brenner Brammers Lande dermahlen wiederum dergleichen Luder liegen soll; Als wird dem Nachrichter Suhr hiemit anbefohlen selbiges sogleich von da wiederum wegbringen zu laßen,*

*auch demselben das Abdecken auf denen Feld=Ländereyen bey 5 rT Straffe auf*
*jeden Übertretungs Fall hiemit untersaget.*

*Celle den 12<u>ten</u> Nov. 1762.*

*Königl. und Churfürstl. BurgVoigtey*

*hieselbst.*

*NJ Mittag.*

Umseitig findet sich die Aktennotiz: „Das nemliche Original dieses Mandati ist
dem Nachrichter Suhr Dato Insinuiret. Zelle den 12 Nov: 1762. Völcker, Haus-
voigt." Darunter vernehmen wir offensichtlich die entsprechende Gebührentaxe:
„Dec: 5 ß. cop: 2 ß. ins: 2 ß."

Deutliche Worte spricht das folgende Schriftstück:

*N.r.*

*Es wird dem Nachrichter Suhr hieselbst das von den Vorstehern des Hospitals*
*St. Georg am 25ten d. M. übergebene Gesuch in Abschrifft communicirt, und*
*demselben mit Vorbehalt der verwürckten Strafe hiemit bey 5 rT Strafe anbefoh-*
*len nicht nur die Gerippe, und Knochen, sondern auch das neulich abgedeckte*
*Stücke Vieh von dem Hospitallant binnen 3 Tagen wegzuschaffen. Celle d. 28*
*Febr 1762.*

*KuCB.*

*d 2 Mart anf.*

*dec: 5 ß / cop. 2 ß / ... 2 ß / ins. 2 ß*

Entwurfscharakter hat auch das folgende Schreiben, in welchem skizziert wird:

*Burgvogt*

*ob zwar Ew. p. den Nachrichter Suhr durch beschehene d 28 Mart. 1763 legiti-*
*me insinuirten Bescheid + ... geruhet, das Hospital lant von dem abgedeckten*
*Viehe und Knochen zu reinigen, so ist doch solches nicht geschehen, vielmehr*
*von ... direkt geschleppet worden ...*

*Desuper,*
*Anderweite Anzeige und Bitte*
*von Seiten*
*der Vorsteher des Hospital St. Georg*
*Wunning et Wolden.*

Auschlussreich ist das hiernach abgelegte Erinnerungsschreiben des Nachrichters, Johann Ludwig Jacob Suhr, welches den Eingangsvermerk „praes. den 24
Mart. 1763" trägt:

*Gehorsahmstes Pro Memoria.*

*Es haben die Vorsteher des Hospitals Sct: George, unterm 25<u>ten</u> m. p. bey Ew.*
*Wollgeb. eine Schrifft überreichet, worauf mir unterm 28<u>ten</u> Febr. bey 5 rT Strafe*

*anbefohlen, die gerippe und Knochgen, und das abgedkte Stück Vieh von dem Hospital Lande binnen 3 tagen, wegbringen zu laßen,*

*Ew: Wollgeb. werden also geneigtest erlauben, das deren gethanes Vorbringen mit wenigen beantworten dürfe,*

*Es ist das Vorbringen der Vorsteher des Hospitals Sct. George meistentheils un-gegründet,*

*Das Stück Vieh so auf ihren sich an masenden Lande abgedkt werden müßen, ist beym hinauf bringen darauf crepiret und das zu weilen Knochen, und etwas ge-rippe darauf zu liegen kombt davor kann Ich nicht weil die Hunde solches dar-auf schleppen, zu dem haben die Hofemeysters des Sct: George sebst Schuld daran, das sie von Jahren zu Jahren dem Gerichts Berge abpflügen,*

*Es ist noch eine Grose Frage, ob das Land so sich die Vorsteher des Hospitals Sct: George an maßen würckl. dabey gehöret;*

*Der Berg worauf das Gerichte stehet, hat vor diesen Ranzen in Altenzelle ei-genthümlich gehöret, und dieser Ranze hat auf Befehl des Hochseelichen Her-ren, damals Regirenden Herrn Herzogs seine Vergütung davor erhalten, also ist es Ranzen nicht aber Sct: George Land gewesen,*

*Die Vorsteher müßen also erweisen aus welchem Grunde sie sich das Land an masen können, wenigstens müßen sie die Kauffbriefe produciren,*

*Auf dem Lande so sie sich an masen hat vor diesen, ein Brand Pfahl gestanden, woran von der Moselschen Bande, Ein Körper ist verbrand worden, und vor wenigen Jahren ist von solchen Lande, welches sich das Hospital Sct: George zu eignet, an dem Gastwirth Kuhlmann, welcher derozeit die Post mit gefahren, ein Theil verschencket,*

*Das Hospital Sct: George, entsiehet sich nicht, den weg so von dem Schil-derhausem nach dem Gerichts-Berge, zu gehet, aufgraben, ja öffters sogar umpflügen, zu laßen, das mein Knecht als dann nicht weiß auf was Orth ein cre-pirtes Stück Vieh hinauf zu bringen,*

*Es ist von Jahren zu Jahren, von dem Berge was abgepflüget, und zu Feld land gemacht worden, das sie schohn bis an das Gericht, und über den Deliquenten Kirchhoff gekommen,*

*Das Ihre Grenze bis an den vierEktigten, ort so in umzierk einen Graben um sich hat, gehen solte, wird das Hospital Sct. George nimmer erweisen können, weil es bey des damahligen Hochseelichen herrn hertzogs Zeiten, ein hunde Zwinger gewesen, welcher umher mit einen Graben umzogen, so der augen-schein noch anjetzo ergiebet,*

*Der hiesigen Meysterey ist vom hochseel. herrn Herzogs: Herrn Ernst ein gar-ten Platz. hart am Gerichte belegen geschenkt, und unterm 15ᵗᵉⁿ 8br: 1607. der Donations-Schein welchem, ich in henden habe, darüber ertheilet, welchem Garten Platz ich auch nicht im gebrauch habe so ich doch haben müste, weil er der Meysterey geschencket, und welchem ich nun mehro auch verlange, so wirt sich näher zeigen wie weit des Hospitals Sct: George grentze an das Gerichte gehet;*

*Ew: Wollgeb: werden, also aus obigen hochgeneigtest wahrnehmen, das der Vorsteher des Hospitals Sct. George gegen mich eingebrachte beschwerde, un-*

*gegründet wesfals gehorsahmst bitte, denselben aufzugeben, das sie die Kauf briefe von dem Lande, so um das Gerichte her ist, und sie sich an maßen produciren,*

*Annebst zu injungiren, den weg so von dem Schilderhause, grade nach dem Gerichts berge zu gehet, so wenig um graben oder um pflügen zu Laßen, weil mein Knecht sonst kein crepirtes Stück Vieh nach dem gehörigen Orte zu bringen vermögend ist, refusis Eupensis. Desuper. p.*

*Joh: Lud: Jacob. Suhr*

Burgvogt Nicolaus Johann Mittag ließ beiden Parteien die Schrift der anderen Seite zukommen und legte einen Vororttermin auf den 9. April 1763 fest:

*In Sachen der Vorsteher des Hospitals St. Georg, Kläg. wieder den Nachrichter Suhr, Bekl. in pto limitum der Gerichts Städte, werden beyden Theilen die unterm 24ten und 28ten v. M. übergebene Schrifften hinc inde in Abschrifft communiciret, und als man nöthig findet, den locum quast. in Augenschein zu nehmen, wozu der 9te hujus pro termino anberahmet ist, so werden beyde Theile hiemit verabladet, sich besagten Tages, Nachmittags um 2 Uhr, an den streitigen Orte einzufinden, und die besitzende Documenta mitzubringen.*

*Celle den 2ten April 1763.*

*Königl. und Churfürstl. Burgvoigtey*
*hieselbst.*

*NJMittag.*

Über diesen Termin wurde Protokoll geführt:

*Actum Celle den 9ten April 1763.*

*Als in Sachen der Vorsteher des Hospitals St. Georg, Kläg. wieder den Nachrichter Suhr, Bekl. in puncto limitum der Gerichts Stäte, per Decretum vom 2ten huj. der heutige Tag zur Besichtigung anberahmet worden, so verfügeten wir uns in rem praesentem, woselbst die Hospital-Vorsteher, Wünning und Wolde, ingleichen der Nachrichter Suhr sich bereits eingefunden.*

*Kläg.*

*zeigeten hieselbst denjenigen Platz, welcher das quaest. Hospital Land seyn solte, und welcher die gantze hintere abhängende Seite des Berges, neben dem mit einem Graben umgebenen so genannten Hunde Zwinger belegen, ausmachete.*

*Es ergab sich hieselbst der Augenschein, daß dieser streitige Platz mit Gerippen und Knochen dergestalt bedecket war, daß solche, wahrscheinlicher Weise, schon seit vielen Jahren daselbst sich gesammlet, und der Boden deßelben war überall mit Moos bewachsen.*

*Bekl.*

*behauptete, daß dieser Platz schon seit undencklichen Jahren zur Gerichts Stäte gehöret habe, und beständig auf demselben abgedecket worden, zeigete auch hieselbst einen Orth, woselbst der Pfahl gestanden, woran der Körper von der*

*Moselschen Bande verbrannt worden, welcher aber bey der feindlichen invasion hinweg gekommen.*

*Kläg.*

*sie könnten durch Documente, welche bey RathHause in Verwahrung befindlich, erweislich machen, daß dieses Land dem Hospitale gehöre. Zeigeten hierauf denjenigen Weg, welchen Bekl. überdaszwischen dem Hospitale und dem Galgen Berge liegende und brackerte Land mache.*

*Von Gerichts wegen*

*nahm man wahr, daß dieser Weg von dem vor dem Hospitale stehenden Schilder Hause ab = nach dem Galgen Berge zu, über dieses Land erst neuerlich gemachet worden, und die gantze Gegend durch den Weg hierdurch bepflüget gewesen, daß hingegen der ordentliche Fahr Weg, welcher zwar sehr tief ausgefahren, um das Land herum, weiter nach Altenzelle zu, nach der Gerichts Stäte herauf gehe.*

*Bekl.*

*Es könnten seine Leute nicht mit dem Luder den ordentlichen Fahr Weg passiren, und wäre, so lange er dencken könne, der gewöhnliche Weg von dem Schilder Hause ab, in gerader Linie nach dem Galgen Berge zu beständig genommen worden. Kläg. hätten sich erst neuerlich unterstanden, diesen Weg aufzupflügen.*

*Von Gerichts wegen*

*Es solle Bescheid erfolgen.*

*in fidem*

*NJMittag.    CHGKannengießer*

Das nächste Schreiben hat folgenden Wortlaut:

*Burgvoigtey*

*2 mahl.*

*d 14 Juny 1763*

*Ew p. ist gefällig gewesen bereits unterm $2^{ten}$ Apr. den streitigen Platz in Augenschein zu nehmen, und uns aufzugeben, die Documente von dem Hospital Lant beyzubringen.*

*ob wir uns nun zwar alle Mühe gegeben, dergleichen Documente aufzusuchen, so ist doch solche vergeblich gewesen und es sind vermuthlich in alten Zeiten, so wie von ... Grundstücke darüber keine ertheilet worden. Es wird also genug sein, daß wir und in einer unverdenklichen Possession dieser Länderey gründen, worin Bekl. uns zu stöhren, oder einen neuerlichen Weg nach der Gerichts Stätte anzulegen umso weniger befugt ist, da hierunter so wol das interesse publicum, als eines pii corpois verhirt, daher diese Neuerungen abzustellen dersel-*

ben bereits per decreta de 12 gbr 1762 et 28$^{ten}$ Febr. 1763 rechtskräftig injungirt worden.

Ew. müssen wir also gehorsamst bitten, uns in der Possession zu schützen, und dem Bekl. aufzugeben, daß er so fort unser Land reinige und nicht weiter über unsere Länderey mit dem verreckten Viehe fahre, sondern den ordentlichen Fahrweg in acht nehmen und die verursachte Kosten beschaffen müsse.

Defuger ... (unleserlich, Lateinisch)

Rechtsbegeren die Vorstellung und Bitte
vonseiten
der Vorsteher des Hospitals St. Georg Kl.
gegen den Nachrichter Suhr Bekl.
in pto. limitum der Gerichts Stäte.

Der nächste behördliche Schriftsatz datiert vom 22. Juni 1763. Die Beamten der Burgvogtei brachten darin zu Papier:

## A.

In Sachen der Vorsteher des Hospitals St. Georg, Kl: wieder den Nachrichter Suhr Bekl. in pto: limitum der Gerichts=Stätte, wird beyden Theilen das am 9$^{ten}$ Apr. a. c. abgehaltene Besichtigungs=Protocoll, Bekl: aber die von Kl: am 15$^{ten}$ d. M. übergebene Vorstellung in Abschrifft communiciret, und zum Bescheide ertheilet; daß Bekl: in momentanea possessione der Abdeckerey an dem quaest: Orte bis dahin zu schüzen sey, daß Kl: in ordinario eine ältere possession des qu: Landes erweislich beygebracht, als wozu denenselben, mit Vorbehalt des Bekl: Gegen Beweises und anderer rechtlichen Mittel, eine 6wöchige Frist verstattet wird.

Bekl. hingegen schuldig sey, sich des Weges von dem Hospitale ab, in gerader Linie nach der Gerichts=Stäte, über der Kl: Feld=Land, in Zukunft zu enthalten, es wäre denn, daß derselbe binnen gleichmäßigen 6 Wochen erweißlich darthun würde, gestalten er, oder seine Vorfahren, sich dieses Weges seit 30 oder mehr Jahren geruhig bedienet haben, in welchem Falle mit Vorbehalt der Kl: Gegen Beweises und anderer rechtl: Mittel dieses Punktes halber anderer gestalt ergehet, was den Rechten gemäß ist. Celle d 22$^{ten}$ Jun: 1763.

Königl: und Churfürstl: Burgvoigtey hieselbst

Mittag.        Kannengießer.

Umseitig vermerkte Hausvogt Völker: „Ein gleichlautendes Exemplar dieses Decreti ist nebst den inserirten protocoll und einer And: dem Nachrichter Suhr dato insinuiret. Celle d: 23$^{ten}$ Jun: 1763."

Das nächste Schreiben ist undatiert, trägt aber den Eingangsvermerk „praes. den 1$^{ten}$ Aug. 1763." Nachrichter Suhr äußerte darin folgende Bitte:

118

*Königl. pp.*

*Alß Ew. Wohl und HochEdl. geb: per Decr. von 22<sup>ten</sup> Juny Mir einen 6wöchgigen Beweis Termin angesetzet, ich aber nöthig finde dieser Sache hal-ber vorgengig Höhern Orthes Vorstellung zu thun, so bitte gehorsahmst solchen Beweiß Termin vor erst auf 4 Wochgen zu prolongiren, Desuper. implorande.*

Burgvogt Mittag entsprach dem Ansinnen des Nachrichters. Am gleichen Tag notierte er: „In Sachen der Vorsteher des Hospitals St. Georg, Kläg. wieder den Nachrichter Suhr, Bekl. in puncto limitum der Gerichts Stäte, wird jenen die von diesem heute übergebene Bitte in Abschrifft communiciret, und die gebethene Frist damit ertheilet."

Am 3. August 1763 gaben die Beamten der Burgvogtei zu Papier: „In Sachen der Vorsteher des Hospitals St. Georg, Kläg. wieder den Nachrichter Suhr, Bekl. in puncto limitum der Gerichts Stäte, wird diesem das von jenen heute überge-bene Gesuch in Abschrift communiciret, und die gebethene Frist damit erthei-let."

Je ein gleich lautendes Exemplar stellte der Hausvogt Völker den beiden Partei-en tags darauf zu.

Am 29. August 1763 bewilligte die Königliche und Churfürstliche Burgvogtei Celle erneut eine Fristverlängerung, diesmal um vier Wochen, da der Nachrich-ter, wie er schrieb, auf seine Vorstellung beim Herrn Großvogt noch mit keiner Resolution versehen gewesen sei.

Dann erbaten die Vorsteher des Hospitals St. Georg mit Schriftsatz vom 14. September 1763 eine weitere, 3-wöchige Verlängerung, und zwar aus Krank-heitsgründen (Übelkeit?), eine Fristverlängerung, die die Burgvogtei unter dem gleichen Datum auch genehmigte.

Nachrichter Suhr ließ sich inzwischen, offensichtlich aufgrund einer Einlassung des Geheimen Rats und Großvogts, Carl Diede zum Fürstenstein, selbst, von dem Anwalt der Königlichen und Churfürstlichen Großvogtei vertreten. Bevor die neuerliche Frist verstrichen war, ging am 24. September 1763 ein Schriftsatz desselben bei der Burgvogtei ein, in dem es heißt:

*Königl pp*

*dem Anwalde K. Großvoigtey ist anbefohlen die herrschafftl. Gerechtsame in auswärts bemerkter Sache zu vertreten. Gegenwärtig kommt es vorerst nur auf den Weg quaest: und auf den desfalls zu führenden Beweis an.*

*Ehe Anwald selbigen aber antritt, muß er billig der Hrn. Imploranten Erklärung vorgängig darüber fordern.*

> *ob selbige gäntzlich leugnen, daß von dem vor dem Hospitale St: Georg stehenden Schilder Hause an, nach der Gerichts Stätte zu, sonst gar kein Weg gegangen,*

*oder ob sie dieses eingestehen und nur leugnen*

> *daß die Nachrichter sich dieses Weges nicht bedienen dürffen.*

*Anwald bittet: denen Hrn. Imploranten aufzugeben, ihre positive Erklärung darüber innerhalb 14 Tagen einzubringen, inzwischen aber den terminum prorogatorium auf 4 Wochen zu prolongiren.*

Nach der lateinischen Schlussformel unterschrieb der Kammer- und Amts-Prokurator Christian Friederich von Hagen.

Die Frist wurde verlängert, die Bitte an die Vorsteher des Hospitals St. Georg weitergeleitet.

Diese ließen aber mit ihrer Antwort auf sich warten, was der Anwalt von Hagen der Burgvogtei am 20. Oktober 1763 anzeigte. Von Hagen äußerte sich in seinem Schriftsatz zuversichtlich, dass, wies es „das Ansehen habe", die Sache in Güte beigelegt werden könne. Ein Vergleich schien sich bereits anzukündigen. Die Beamten der Burgvogtei kamen also wieder nicht umhin, die Frist erneut bis auf weiteres zu verlängern.

Die Vorsteher des Hospitals St. Georg rührten sich nicht. Amts-Prokurator Christoph Ernst Ebel hielt in seinem Schriftsatz an die Burgvogtei, eingegangen am 1. Dezember, dafür, den im Dekret vom 22. Juni auferlegten Beweis für nicht erbracht („für Desert") zu erklären, die Klage abzuweisen und die Vorsteher „zur Ruhe zu verweisen und in die verursachten Kosten zu vertheilen".

Die Burgvogtei äußerte sich dem entsprechend noch am gleichen Tag, erklärte den vorbehaltenen Beweis für nicht erbracht, „... als wird Bekl. noch ferner bey der possessione der Abdeckerey an den quaest. Orthe solange geschützet, bis Kläg. in petitorio ein anders ausgeführt haben".

Amts-Prokurator Ebel legte fast zeitgleich, aber etwas später, noch mit einem weiteren Schriftsatz nach. Hier war er bereits um einiges deutlicher: „Anwald hat sich zwar alle Mühe gegeben die mit dem Hospital St: Georg streitig gewordene geringfügige Sache, wegen der Gräntzen der Gerichts Stäte, und des dahin gehenden Weges, in Güte beyzulegen, da er aber aller seiner gethanen Vorschläge und Erinnerungen ohngeachtet nicht zu seinen Zweck gelangen können, auch auf seine letzt gethane Erinnerung keine Antwort erhalten ..." Dass auf die Bitte der Vertreter des Nachrichters vom 24. September nicht eingegangen sei, sah Ebel als Form des Ungehorsams an, er bat, den Vorstehern noch einmal eine Frist von 14 Tagen für eine Erklärung zu geben. Andernfalls solle der dem Beklagten auferlegte Beweis für geführt angenommen werden.

Für sich erbat er „zu Antretung des blos durch die gegenseitige Contumaciam aufgehaltenen Beweises" eine abermalige Frist von vier Wochen.

Diesen Ansinnen kamen die Beamten der Burgvogtei am 1. Dezember 1763 nach, die Frist für die Abgabe einer Erklärung seitens der Vorsteher wurde auf drei Wochen festgesetzt.

Nun rührten sich die (Vertreter der) Vorsteher der Hospitals St. Georg. Sie reichten am 12. Dezember 1763 bei der Burgvogtei eine „Interpositio" (Einschiebung) ein, die eine Dominanz lateinischer Begriffe offenbart. Dieser

Schriftsatz wurde tags darauf in Abschrift an den Anwalt Königlicher und Churfürstlicher Großvogtei „zur Nachricht communiciret".

Die Behörde übersandte dem Nachrichter eine Ausfertigung dieses Schriftsatzes.

Am 30. Dezember 1763 erbaten die Kläger in einer „Electio" noch einmal eine vierzehntägige Frist, die die Burgvogtei auch am gleichen Tag erteilte.

Am 30. Januar 1764 beantragte man erneut eine 14-tägige Fristverlängerung, „weilen derselbe [der Anwalt] bisher mit Arbeit überhauft gewesen". Dem entsprachen die Beamten der Burgvogtei erneut.

Hiernach finden wir einen Schriftsatz des Kammerkonsulenten Lehmann, der dem Sekretär Echte unter dem 27. September 1763 schrieb, dass ihm die Ausführung des Prozesses zwischen den Vorstehern des Hospitals St. Georg und der Nachrichterei ihm vom hochlöblichen Großvogt aufgetragen worden sei. Jener kündigte an, dass auch er mit drei Personen erscheinen werde: „Die erste ist zu Hoch als daß ich mich unterstehe Sie unter den dreien zu ernennen, die zwote ist der Amts Advocat, und die 3te mag ich nicht zu nennen."

Von eben jenem Lehmann folgt der nächste, undatierte Schriftsatz, der einmal wieder Fragen aufwirft: „Der hl. Secretair Echte haben erlaubet, daß Vorzeiger dieses heute auf den Rath-Hause erscheinen dürfte um eine Vollmacht vollenziehen zu laßen. Weil er sich in Teutschen nicht wohl ausdrücken kann, so ersuche hl. Beland oder Lahmann ihn zu melden. Lehmann."

Darunter finden wir die Notizen zu einer Befragung. Danach bejahte der Befragte u. a., das Feldland beim Galgenberg zu kennen und „daß das Land in diesem Bezirk jedesmahl vom Hospital genutzt werde". Wahr sei ferner, dass dieses Land noch nach den Jahren 1753 bis 1756 mit Korn besät gewesen sei.

Als nächstes folgte ein Schriftsatz der Vertreter der Hospitalsvorsteher vom 11. Februar 1764. Man schien nun auf einen gütlichen Vergleich aus gewesen zu sein. Bald nach der Einleitung wies der Schreiber darauf hin, dass er mit dem Kammerkonsulenten Lehmann „in genauer Freundschaft zu stehen" die Ehre habe und „seit vielen Jahren die wichtigsten Sachen in Güte bey geleget" gehabt hätte. Formuliert wurde, wie aus Sicht der Vorsteher ein Vergleich erfolgen könnte, und bezog sich im Weiteren auch auf eine schriftliche Anfrage Lehmanns vom 20. Oktober 1763, in der er wegen eines Gesprächs in dieser Sache gebeten hatte.

Der besagte Briefbogen Lehmanns vom 20. Oktober 1763 gibt das Ergebnis einer undatierten Zeugenbefragung preis, in der Johann Ranze zu Altencelle, Henje Heine in den neuen Häusern (Neuenhäusen), Jacob Gärtner zu Wathlingen und der Konventual auf dem Hospital St. Georg Peter Cohrs bezeugten, dass das fragliche Land noch von 1753 bis 1756 mit Korn besät gewesen sei. Ferner gibt die „Articuli probatoriale" folgende Auskünfte: „Art. 1. Wahr Zeuge, das Feldland des Hospitals St. Georg wol kenne. Wahr, Zeuge ins besondere die Gräntze des Landes so an Galgen berge belegen, bekant. Art. 3. Wahr ein Stück Land davon die gantze hinter abhängende Seite des Berges neben den mit einem Graben umgebenen so genanten Hunde Zwingers belegen, ausmache. Art. 4. Wahr, daß das Land in diesen Bezirck jedesmahl solange Zeuge denke, vom Hospital genutzt worden." Die fünfte Frage betraf die Besäung der Jahre 1753 bis 1756.

Dass der Schriftverkehr sehr wohl in französischer Sprache abgefasst werden sollte, wurde im nachfolgenden Schriftsatz, gerichtet am 3. Oktober 1763 vom Kammerkonsulent Lehmann an den Sekretär Echte, deutlich festgestellt: „Mein Franzose saget mir ein loblicher Magistrat haben Bedenken gefunden, die Vollmacht im Französchen zu vollenziehen. Ich glaube aber, daß er die Meinung nicht recht verstanden, und mich also unrecht berichtet. Das procuratorium muß nothwendig französch abgesetzt sein, und ist des fals so als es lautet aus Frankreich geschicket. Es muß nothwendig mit der Mittewochen Post auf Hamburg gesandt werden. Sollte es also vollenzogen werden können, so ist nichtes weiter nothig, als daß anfangs gesetzet werde

Pardevant nous Bourgemaitres et Senateurs de la Ville de Celle ...

und am Ende die Unterschrifft cum sigillo. Sollte dieses aber der der Schlendrianus nicht erlauben, so bitte ich das procuratorium des Notarius zu vollenziehen und mir diesen Nachmittag die Ehre Ihres Besuches zu gönnen, da wir wegen des Schinder Prozesses den Weg zum Vergleiche bahnen wollen. (...)"

Am 15. Februar 1764 ging ein neuerlicher Schriftsatz des Amts-Prokurators Ebel bei der Burgvogtei Celle ein. Da heißt es:

*Königl. p.*

*Ew p haben zu Abhörung der gegenseitig vorgeschlagenen Zeugen terminum auf den 16ten Mertz anberahmet. Anwald der K. Großvoigtey, welcher sich reprobationem ausdrückl. reserviret, wird auch nicht ermangeln ante terminum interrogatorie specialia einzubringen, weil aber gegenwärtige Sache auf eine genaue Bestimmung der Gräntzen ankommt, und parter sich darüber in loco praesenti am besten erklären könne, so muß Awld. darauf antragen, daß die Zeugen vor der Abhörung in locum praesentem geführet und partes mit dazu citiret werden.*

*Ferner ergeben acta, daß denen Hrn. Klrn. schon unterm 24." Sept: v. J. in Ansehung des streitigen Weges aufgegeben worden, sich auf der dießeitigen an eben den Tage übergebene Vorstellung zu erklären und daß per Decr. de 1." Dec: sub A erkannt worden, daß die Hrn. Klr. den erstgedachten Decreto ein Genüge zu leisten, oder zu gewärtigen, daß in Contumaciam verfüget werde, diesem injuncte ist bis jetzt nicht gelebet, und Awld. dadurch verhindert, den ihm obliegenden Beweis zu führen er bittet also gehörsamst, nunmehro zu erkennen, daß der dem Bekl. ratione viae auferlegte Beweis für geführt angenommen werde, und die hiesige Nachrichterey bey dem gebrauche deßelben zu schützen. Sub imploratione solemni.*

*Ebel prod.*

Aufgrund dieser Vorstellung wurden beide Teile von der Burgvogtei mit Schreiben vom 17. Februar 1764 auf den 14. März 1764, 15 Uhr, vorgeladen, um sich wegen der Grenzen zu erklären. Am Schluss wurde festgestellt: „Übrigens wird in contumaciam der Kläg. nunmehro ratione viae angenommen, daß nur dem Bekl. der Gebrauch des quaest. Wegen von Kläg. denegiret werde, und daher dem Bekl. zu Führung des per decret. vom 22$^{\underline{ten}}$ Jun.v. J. vorbehaltenen Beweises eine anderweite 4 wöchige Frist hiemit verwilliget."

Die gesamte Prozessakte ist an dieser Stelle zu etwa einem Drittel ausgewertet. Der weitere Schriftverkehr sollte noch vier Jahre fortdauern, bis Ende Oktober 1768. Da dieser auch im Weiteren im Schwerpunkt den unspektakulären Schriftverkehr zwischen der Burgvogtei Celle und den Anwälten umfasst, in denen man letztlich um die Sache herum geredet hatte, bietet sich der gezielte Blick auf die Fakten an.

Planmäßig fand am 16. März 1764 die Zeugenbefragung in den Räumen der Burgvogtei statt. Hospitalvorsteher Faktor Wünning, ebenfalls zugegen, bat um Anberaumung „einer anderweiten Tagefahrt" für den ausgebliebenen Jacob Gärtner aus Wathlingen; dessen Vernehmung wurde dann mit Schreiben an das Gericht Wathlingen vom 26. März auf den 4. April 1764 angesetzt. Die Zeugen Ranze, Heine und Kohrs gaben, nachdem sie „mit dem gewöhnlichen Zeugen-Eide beleget", ihre bisher getätigten Aussagen zu Protokoll.

Für den 6. April 1764 wurde seitens der Burgvogtei eine Zeugenbefragung anberaumt. Ein Fragenkatalog nebst einer Liste der gezielt zu Befragenden war bereits vorbereitet worden:

*Articuli probatoriales*

*Art: 1.*

*Wahr, Zeugen die im Alten Zeller Felde belegene Gerichts Städte bekannt sey.*

*Art: 2.*

*Wahr, Zeugen gleichfalls bekannt sey, daß vor dem Hospitale St: Georg ein kl. Wacht oder Schilder=Hauß stehe?*

*Art: 3.*

*Wahr, daß von diesen Schilderhause ab nach den Galgenberge zu ein Weg gehe.*

*Art: 4.*

*Wahr, daß dieser Weg schon seit 10, 20, 30 und mehr Jahren vorhanden gewesen*

*Art: 5.*

*Wahr daß dieser Weg sonst die mehreste Zeit mit Graß bewachsen und die Fuhr Tran zu sehen gewesen*

*~~Art: 6.~~*

*~~Wahr daß über diesen Weg der Mist auf das höher gegen den Galgenberg zu liegende Land gefahren worden~~*

*Art: 6.*

*Wahr, daß zu Zeiten Delinquenten über diesen Weg nach der Gerichts Stette ge-*
*fahren worden.*

*Art: 7.*

*Wahr, daß noch im Jahre 1755 die beiden Delinquenten Münter und Meyer über*
*diesen Weg zum Gerichte gefahren worden.*

*Art: 8.*

*Wahr, daß auch seit 10, 20, 30 und mehr Jahren die Knechte des Nachrichters*
*diesen Weg gebrauchet haben, um das Luder nach den Galgenberge zu bringen.*

*Art: 9.*

*Wahr Zeuge diesen Weg selber genommen, wenn er Luder nach der Gerichts*
*Stätte gefahren.*

*Art: 10.*

*Wahr daß dieses schon vor länger als 30 Jahren geschehen, insbesondere da er*
*ein Pferd welches einem Tischler gefallen, hinauf gefahren.*

*Art: 11.*

*Wahr, daß dieser Weg erst seit kurtzen aufgepfluget worden.*

*Art: 12.*

*Wahr, daß der andere um das Land herum weiter nach Alten Zelle zu, nach der*
*Gerichts Stätte hinaufgehende Weg, so tief ausgefahren, und offt so voller Wa-*
*ßer stehe daß er zu Zeiten nicht zu pashiren.*

*Nomina testium cum Directorio* [ab Ziffer jeweils wegen der obigen Streichung
nachgebessert]

*Test: 1. Hinrich Ernst Leiffert genannt in alten Zelle ad art: 1. 2. 3. 4. 5. 6. 7. 8.*
*11. 12.*
*Test: 2. der Schlachter Rickenberg auf der Blumlage ad art: 1. 2. 3. 4. 5. 6. 7. 8.*
*11. 12.*
*Test: 3. N.N. Schwiettenberg wohnhafft in der Masch ad art: 1. 2. 3. 4. 5. 6. 7. 8.*
*11. 12.*
*Test: 4. der Hester Voigt Lüders auf der Blumlage ad art: 1. 2. 3. 4. 5. 6. 7. 8.*
*11. 12.*
*Test: 5. Johann Christoph Dägener gewesener Knecht bey dem Nachrichter*
*Suhr. ad omnes.*

Dieser Fragenkatalog wurde an einen so genannten „Satisfactions-Receß" des
Anwalts Ebel vom 28. Februar 1764 angelegt.

Der 6. April 1764 kam. Von der Klägerseite fand sich niemand bei der Behörde
ein. Auch waren die Zeugen nicht vollzählig anwesend. Die Zeugen 1 und 2
konnten vernommen werden, die übrigen waren „anhero zu requiriren". Die Rede war vom dritten und fünften Zeugen, „wovon jener unter dem Gerichts

Zwange des hiesigen Magistrats und dieser zu Ütze, Amts Meinersen, wohnhaft seyn solle". Amtswächter Linden wurde anstelle der abwesenden Kläger verpflichtet, der Zeugen-Beeidigung (Leiffert und Rieckenberg) beizuwohnen.

Eine weitere Zeugenbefragung wurde auf den 27. April 1764 angesetzt.

Undatiert sind „einige zufällige Gedanken über einen Vergleich", die Kammerkonsulent Lehmann zu Papier brachte. Im Anschreiben schloss er: „Die ganze Sache ist aber Mühe nicht werth darüber zu prozeßen. Ich hoffe daß Ew. Hoch-Edelgeb. dem Termino beywohnen werden."

Seine Gedanken:

*Ohngefehrere Vorschläge zum Vergleiche zwisen* (sic!) *K. Großvoigtey und dem Hospitale St: Georg in pto limitum der Gerichts Städte et viae.*

### 1.

*Würden in Ansehung des streitigen Landes gewiße Grenzen zu bestimmen und zu Vermeidung künfftiger Irrungen mit Grentz Steinen zu bemerken sein.*

### 2.

*Weil diese Grenzen nicht anders als in loco zu bestimmen sind, so wird daselbst ein jeder Theil angeben, wie weit er glaube daß die seinigen gehen, und mann wird sich bemühen, ein gewißes temperament zu treffen, um sie freündschafftl. zu reguliren.*

### 3.

*Den streitigen Weg kann der Nachrichter nicht verbessern, weil der um die Gerichts Städte lauffende Weg, so sehr ausgefahren und zu Zeiten so tief unter Wasser stehet, daß er gar nicht zu pashiren ist.*

[Hierneben steht mit anderer Schrift: „Die Dorff Schafft zur Burg kennen selbst dem Weg nicht, fahren sondern fahren über dem streitigen Berg dem Weg nache dem Schilderhauße zu"]

*Mann wird also*

### 4.

*versuchen, ob K. Burgvoigtey geneigen wolle zu bewürcken daß eben benannter Weg brauchbahr gemacht werde. Geschiehet solches, so enthält sich*

[Hierneben steht mit anderer Schrift: „dar zu kan äbenfals die Dorffschafft zur Burg genommen werden dem Weg zu verbeßern weil es ihr Weg ist wan sie Sollen nachher stadt fahren"]

### 5.

*der Nachrichter im Sommer des Weges von Schilderhause an, solange Früchte auf dem Felde stehen, zu anderer Zeit aber pashiret er denselben. Sollte aber*

### 6.

*jener Weg nicht brauchbahr gemachet werden können, so stehet ihm frey diesen, so offte es nothig zu gebrauchen.*

## 7.

*Wird ein Vergleich getroffen, so verstehet sich von selbst, daß des hl. Groß-*
*voigts Excellence ratification darüber nachgesuchet werden müße.*

Die Zeugenbefragung der Herren Schwiehtenberg und Dägener am 27. April
fand statt, für den abwesenden Zeugen, Heistervogt Lüders, wurde der 18. Mai
des Jahres als neuer Termin auf der Königlichen Amtsstube angesetzt.

Amts-Prokorator Ebel trug unter dem 2. Mai 1764 erneut vor: „Es hat das Hospital St. Georg vor dem in Streit befangenen Wege einen tieffen Graben aufge-
worffen und verhindert dadurch, daß der Knecht des Nachrichters, das todte
Vieh nicht auf den Abdeckerey Platz bringen kann, weil der um die Gerichts
Stätte lauffende Weg gar nicht zu pashiren ist." Der Nachrichter müsse einen
Platz haben, wo das tote Vieh abgedeckt werden könne, und sein Knecht müsse
die Möglichkeit haben, wenn er schon nicht über das Feldland des Hospitals fahren dürfe, den fraglichen Weg zu befahren.

Alternativ könne gefallenes Vieh nur an Ort und Stelle liegen gelassen werden.

Bezüglich des aufgeworfenen Grabens folgte die Burgvogtei den Ausführungen
in ihrem Schreiben vom 4. Mai 1764, räumte der Klägerseite aber eine 24-
stündige Frist für eine gegenteilige Stellungnahme ein. Allerdings sollte es bei
dem rechtskräftigen Dekret vom 22. Juni 1763 sein Bewenden behalten.

Die Vertreter der Hospitalsvorsteher beharrten in ihren nachfolgenden Schrift-
sätzen auf der Forderung, dass der Nachrichter sich der Benutzung des fraglichen Weges enthalten sollte. Dies sei per Dekret vom 4. Mai verboten worden,
und „wie kann uns denn verhindert werden, daß wir vor dem Wege, worauf weder gegenseitig noch sonst gefahren werden darf, einen Graben, behuf Befriedi-
gung des Feld-Landes ziehen?" Die durch den hiergegen eingelegten und unge-
gründeten Widerspruch entstandenen Kosten solle die Gegenseite tragen.

Kanzleibote Henning Bode in Celle bescheinigte am 16. Mai 1764 die Übergabe
eines verschlossenen Schreibens im Original an den Burgvogt Mittag. Namens
Seiner Majestät erbat die Königliche und Churfürstliche Justizkanzlei in Celle
binnen 14 Tagen Akteneinsicht.

Als etwa eine Woche später der Knecht erneut den Weg über das dem Hospital
St. Georg zustehende und bestellte Feldland beim Richtplatz fuhr und dabei die
Saat zerstörte, protestierten die Vertreter der Hospitalsvorsteher. Sie forderten
eine „nahmhafte" Strafe wegen des Widersetzens gegen das Dekret vom 22. Juni
1763 sowie die Erstattung der „durch seinen Ungehorsam verursachten Kosten".

Am 29. Juni 1764 wurde auf der Königlichen Amtsstube wieder eine Zeugenbefragung durchgeführt. Die Vertreter der Hospitalsvorsteher wollten den Gegenbeweis antreten und hatten dafür „Gegenbeweis-Sätze" aufgestellt. Als Zeugen
wurden Johann Höpert in Altencelle, Henning Heine in den alten Häusern, Peter
Cordes auf dem Hospital St. Georg und Olshausen daselbst geladen. Ins Auge
fallen Articuli 4 bis 6, wo es heißt: „Wahr, daß die Delinquenten, oder arme
Sünder, niemahls von dem Schilder-Hause ab, in gerader Linie, zu Gerichte ge-

fahren worden? Vielmehr Artic. 5. Wahr, daß die 2 letzten Delinquenten Münter und Meier auf dem Wege um das Land herum, auf der Seite nach Altenzelle, zu Gerichte geführt worden. Artic. 6. Wahr, daß der Strich von dem kleinen Schilder-Hause an in gerader Linie hinauf zur Gerichts-Stätte kein Weg sey, worauf des Nachrichters Knechte Luder fahren können noch gefahren haben."

Aufschlussreich ist nach einigem weiteren behördlichen Schriftwechsel ein an die Vorsteher gerichteter Schriftsatz des Amts-Prokurators Ebel vom 17. Juli 1764:

*Die Hrn. Klr. haben ihren Beweis darauf gerichtet:*

> *daß ein Stücke angeblich dem Hospitale gehöriges Land die gantze hinten abhängende Seite des Berges neben den mit einem Graben umgebenen sogenannten Hunde Zwinger ausmache.*

*Hirgegen wird der dißeits zu führende Gegenbeweis zu richten seyn.*

*Wäre der Gerichts=Platz noch in denen Umständen worin er vor 10 bis 20 Jahren gewesen, so würde der Gegen Beweis leichte zu führen sein. Es ist bekannt, daß noch vor 10 bis 20 Jahren, ja noch zum Theil zu der Zeit, da die frantzösche armée auf und neben den Berge anfing zu campiren, diejenigen Galgen, Räder und Pfähle gestanden und zu sehen gewesen sind, welche zu Hinrichtung der Moselschen Bande gedienet haben. Derjenige Platz wo selbige gestanden muß nothwendig zur Gerichts Stelle gehört haben. Nun sind zum Theil noch rudera davon vorhanden und zum Theil wißen sich alte Leute zu erinnern wie weit gedachte Pfähle in der Länge und Breite des Berges herum gestanden.*

*Durch ein bloßes Zeugen Verhör kann dieses nicht ausgemachet werden, Anwald will alß den Gegen Beweis theils per ocularem inspectionem theils durch Zeugen übernehmen.*

*Er produciret zu dem Ende einige reprobatorial articul sub 1. und damit die Besichtigun (sic!) von Nutzen sein möge, so bittet er denen Hrn. Vorstehern anzubefehlen in Persohn in loco zu erscheinen, anzuzeigen wie weit sie praetendiren, daß die Gräntzen des Hospital Landes gehen, als denn zu untersuchen, wo noch rudera von dem ehemahligen Gerichte vorhanden, und wo sie nicht vorhanden die reprobatorial Zeugen anzeigen zu laßen, wo die Galgen, Pfähle, Räder und das echaffaut auch der Pfahl woran Mosel verbrannt worden gestanden, und sie nach Anleitung der Articul darüber zu vernehmen sub imploratione solemni.*

Hiernach folgten der Fragenkatalog und die Namen der zu befragenden Zeugen:

Test. 1: Johann Christoph Dägener, gewesener Knecht bei dem Nachrichter Suhr, jetzt in Uetze

Test. 2: Adam Hosang auf der Blumlage.

Test. 3: der Heistervogt Lüders auf der Blumlage

Die Burgvogtei Celle setzte als Termin zur Befragung den 22. August 1764 um 11 Uhr vor der Königlichen Amtsstube fest.

**Quelle:** Stadtarchiv Celle 19B 62

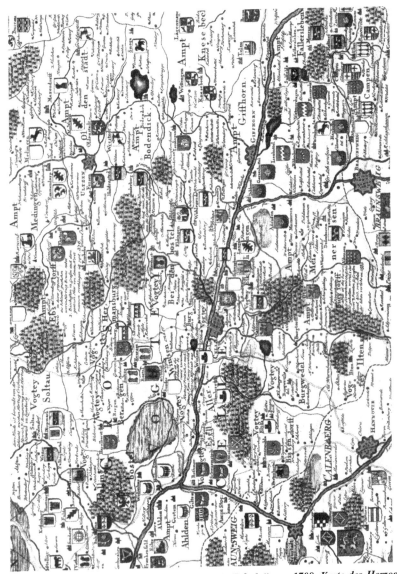

*Ausschnitt aus der Karte „Ducatus Luneburgensis Tabula", um 1708. Karte des Herzogtums Lüneburg – historisch, heraldisch und geographisch von J. W. Schele. Ein Nachdruck dieser Karte ist im Historischen Museum Hannover erhältlich. Repro: Museumsdorf Hösseringen*

# Das Amtsgericht Meinersen wurde 1852 geschaffen

Nach vier Jahren Vorbereitung trat am 1. Oktober 1852 im Königreich Hannover die „Große Justizreform" in Kraft. König Ernst August von Hannover und seine Berater Justizminister Otto Albrecht von Düring, Justizminister Ludwig Windthorst, Justizrat Adolf Leonhardt (der letzte hannoversche Justizminister von 1865 bis 1866 und preußische Justizminister ab 1867) und Johann Carl Bertram Stüve (der frühere Führer der Opposition, den Ernst August nach englischem Brauch als Innenminister in das so genannte Märzministerium des Grafen Alexander Levin von Bennigsen berufen hatte) brachten dem Land mit dieser Reform nicht nur ein neues und für die damalige Zeit bahnbrechendes Verfahrensrecht in Zivil- und Strafsachen (z. B. Einführung der Schöffengerichte), sondern auch eine von Grund auf erneuerte Justizorganisation (Staatsanwaltschaften, eigenständige Gerichte).

Vor dieser Reform hatte es auf der untersten Stufe staatlicher Einflussnahme keine Trennung zwischen der Verwaltung und der Justiz gegeben. Die allgemeine Landesverwaltung übte zugleich auch Aufgaben der unteren Gerichtsbarkeit aus. Damals gab es im Königreich Hannover 274 Untergerichte, und zwar 162 Ämter, 64 Patrimonialgerichte (Gerichte der adligen Grundherren) und 48 Magistrate (Gerichte der Städte). Sie waren jeweils für unterschiedliche Prozessarten und Personengruppen zuständig. Jedes Untergericht war mit einem adligen rechtsgelehrten Beamten (Drost, Amtmann) besetzt. Zur Seite stand ihm ein meist rechtsgelehrter bürgerlicher Amtschreiber. Als Arbeitshilfe und zur Ausbildung waren Auditoren (entspricht den heutigen Referendaren, die nach der 1. juristischen Staatsprüfung ihre praktische Ausbildung machen) angestellt. Zusätzlich waren zehn Mittelgerichte, so genannte Justizkanzleien (u. a. in Hannover) und ein Obergericht, nämlich das am 14. Oktober 1711 feierlich eröffnete Oberappellationsgericht in Celle, eingerichtet. Diesen Gerichten oblagen keine Verwaltungsaufgaben, sondern ausschließlich die Funktion, Recht zu sprechen.

Die Hofgerichte, vor denen der kleine Mann nicht zugelassen war, waren schon 1803 verschwunden. Die Ämter wurden vergrößert, vor allem durch Zuwachs der sich allmählich auflösenden Patrimonialgerichte, deren Rechtsprechung nicht mehr genügte. Als die Geschäfte der Ämter mit dem Wachsen von Bevölkerung und Amtsaufgaben an Menge und Schwierigkeit beträchtlich zunahmen, erhielten die Ämter in der Regel einen zweiten Amtmann, der nur für die Rechtspflege verantwortlich wurde. Es wuchs aber auch die Zahl der Supernumerare (der heutigen Assessoren) und Auditoren. Damit war ein eigenartiger Missstand verknüpft. Viele der Amtmänner hatten früher selbst als Supernumerare lange und viel gearbeitet. Es erschien ihnen nun angezeigt, die jungen Supernumerare für sich arbeiten zu lassen, vor allem, wenn ihre eigene Arbeitskraft abnahm. Die Regierung konnte bereitwillig Supernumerare zur Verfügung stellen und umso bereitwilliger, weil sie sich dadurch nicht nur die Einstellung neuer Amtmänner ersparte, sondern auch die Pensionierung der alten und schwachen – davon muss es eine beträchtliche Zahl gegeben haben – und damit die Zahlung von Gehältern und Pensionen. Sie erlegte zwar den Amtmännern die Pflicht auf, ihre Arbeitsgehilfen durch Gewährung von Wohnung, Kost und Geldgaben auf ihre Kosten zu unterstützen. Aber je leichter die Zuweisung der Supernumerare war, desto leichter war es den alten Amtmännern, sich vor der finanziellen Unterstützung ihrer Hilfskräfte zu drücken. Der größte Teil der Amtsgeschäfte wurde infolgedessen nicht mehr von den alterfahrenen Beamten, sondern von den jungen Supernumeraren und Auditoren erledigt. Bei denen machte sich nicht nur ein Mangel an Verwaltungserfahrung erheblich bemerkbar, sondern auch ein Nachlassen ihres Eifers. Nun sollten sie nicht für ihre eigene Ausbildung arbeiten, sondern dem Staat ohne ausreichende Besoldung ein Opfer bringen. Hand in Hand damit gingen häufige Versetzungen nicht nur der Supernumerare, sondern auch der Amtmänner, die in der Regel nur durch eine Versetzung auf einträglichere Stellen zu einer Besoldungsverbesserung gelangen konnten. Ihre Einnahmen bestanden nämlich aus den Sporteln, also Entgelten für gerichtliche oder sonstige Amtshandlungen, deretwegen die Amtmänner ihre Ämter pachten mussten.

Das hannoversche Kriminalgesetzbuch vom 8. August 1840 hatte den Abschied von der Peinlichen Halsgerichtsordnung Kaiser Karls V. (Constitutio Criminalis Carolina) von 1532 mit all ihren barbarischen Hinrichtungsmethoden gebracht (das Schleifen zur Richtstätte, das Auspeitschen und das Prangerstehen wurden indes übernommen).

Die Reform von 1852 brachte für die Gerichte auf der Unterstufe die Trennung der Justiz von der Verwaltung und beseitigte die Buntscheckigkeit der Ämter. Die Rechtspflegeorgane, die erwachende dritte Gewalt im Staate, hatten endlich ihren eigenen Behördenaufbau und ihre Eigenverwaltung.

Mit dem so genannten Gerichtsverfassungsgesetz vom 8. November 1850 (Gesetzsammlung für das Königreich Hannover 1850, I. Abteilung, Nr. 52) erfüllte der inzwischen betagte König Ernst August sein Versprechen einer Neuordnung der Rechtspflege. Die ersten allgemeinen Bestimmungen dieses Gesetzes lauteten:

*§. 1.*
*Die Rechtspflege wird von der Verwaltung getrennt.*
*§. 2.*
*Die Verhandlungen vor den erkennenden Gerichten sind öffentlich. Eine Ausnahme davon findet nur in den durch die Proceßgesetze bestimmten Fällen Statt.*
*§. 3.*
*Die Gerichtsbarkeit wird nur durch vom Staate bestellte Gerichtsbehörden ausgeübt; vorbehaltlich der in diesem Gesetze gemachten Ausnahmen.*

*§. 4.*

*Die Gerichtsbarkeit wird ausgeübt:*

*1) durch Amtsgerichte;*

*2) durch Obergerichte, bei denen auch die Schwurgerichte abgehalten werden;*

*3) durch das Ober=Apellationsgericht.*

*§. 5.*

*Es sollen, wo das Bedürfnis es erheischt, Handels= und Gewerbegerichte im Wege der Gesetzgebung angeordnet werden.*

*§. 6.*

*Die Einrichtung von Friedens= und Vergleichsgerichten soll befördert werden.*

*§. 7.*

*Die Justizkanzleien, die Ämter und alle anderen Gerichte werden aufgehoben, insoweit deren Fortbestehen in diesem Gesetze nicht ausdrücklich vorbehalten ist.*

*§. 8.*

*Alle Patrimonialgerichtsbarkeit, sie mag Gemeinden oder einzelnen Personen zustehen, wird ohne Entschädigung aufgehoben und geht zu der von der Regierung zu bestimmenden Zeit auf den Staat über.*

In Kraft trat dieses Gesetz noch nicht, sondern erst zwei Jahre später. Seine letzte Bestimmung lautete: „Sobald die notwendigsten Vorarbeiten für die Ausführung erledigt sind, werden wir den Zeitpunkt bestimmen, von welchem an das gegenwärtige Gesetz in Wirksamkeit treten soll."

Am 7. August 1852 erließ König Georg V., Ernst Augusts blinder Sohn und Thronfolger, in seinem Schloss Monbrillant in Hannover die „Verordnung, die Bildung der Amtsgerichte und unteren Verwaltungsbehörden betreffend" (Gesetzsammlung für das Königreich Hannover 1852, I. Abteilung, Nr. 29) sowie eine weitere über die Errichtung von Obergerichten, und zwar zum 1. Oktober 1852. Im Königreich Hannover sollte es als ordentliche Gerichtsbehörden fortan nur noch staatliche Gerichte geben, und zwar in der untersten Instanz 168 Amtsgerichte, davon allein 35 im heutigen Regierungsbezirk Lüneburg, und in der Mittelinstanz zwölf große (Aurich, Celle, Göttingen, Hannover, Hildesheim, Lüneburg, Meppen, Nienburg, Osnabrück, Osterode, Stade, Verden) und vier kleine Obergerichte (Dannenberg, Goslar, Hameln und Lehe). Bei 33 634 Gerichtseingesessenen und fünf Amtsrichtern bzw. Amtsgerichtsassessoren (Hof- und Staats-Handbuch für das Königreich Hannover auf das Jahr 1853) war das Amtsgericht Hildesheim damals das größte Amtsgericht im Königreich.

Mit der Neuordnung der Justiz im Königreich Hannover verschwanden die früheren Stadt- und Fleckengerichte, die Gerichte der königlichen Ämter und der Amtsvogteien, die Gemeinheits- und Patrimonialgerichte. Damit waren die unübersichtlichen Gerichtsformen aus alter Zeit beseitigt und die Gerichtsbarkeit zu einem durchschaubaren System geformt.

Oberste Instanz für das Königreich Hannover blieb das Oberappellationsgericht in Celle.

Die Ämter Isenhagen (mit der Vogtei Wahrenholz), Knesebeck und Meinersen erhielten ebenfalls ein eigenes Amtsgericht. Seine Tätigkeit nahm das Amtsgericht Meinersen, das im alten Poorthus untergebracht war, am 1. Oktober 1852 mit einem Amtsrichter, nämlich dem Amtsgerichtsassessor Rudolf Moritz Ludwig Carl Albrecht von Berckefeldt, einem „Actuar" (Vorläufer des heutigen Rechtspflegers), J. H. Schulze, und einem Gerichtsvogt, F. Borchers, auf. Der Amtsrichter hielt zweimal in der Woche vormittags Sitzungen ab.

Zum Vergleich: Das Amtsgericht Burgdorf trat seinen Dienst am 1. Oktober 1852 mit dem 38 Jahre alten Amtsrichter Bernhard Culemann, Auditor Lindemann, Aktuar Kaufmann, Gerichtsvogt Fuchs und dem Gerichtsdiener und „Gefangenwärter" Kahle an.

Die Bezirke der Amtsgerichte orientierten sich 1852 an den Verwaltungsgrenzen der Ämter. Nach dem Hof- und Staatshandbuch für das Königreich Hannover auf das Jahr 1853 gehörten zum Amtsgericht Meinersen anfangs 1125 Wohnhäuser mit 7032 Einwohnern.

Gerichtsdiener war in Meinersen Wilhelm Zerenner. Er heiratete Maria Busse und bekam mit ihr am 27. August 1859 den Sohn August Wilhelm, der später als Kassierer nach Hamburg-Eilbek ging (getauft: 11. September 1859).

In den „Celleschen Anzeigen" vom 30. Oktober 1852 gab der Staatsanwalt in Celle, Obergerichtsrat Georg Friedrich Albrecht, die Namen der seit Monatsbeginn beim Königlichen Obergericht zu Celle und den Königlichen Amtsgerichten des Obergerichtsbezirks Celle „für den äußeren Dienst angestellten und eingeführten Gerichtsvoigte" bekannt. In Veranlassung eines Reskripts des Königlichen Justizministeriums vom 19. Oktober 1852 nannte Albrecht unterm 10. November auch die Namen der dort angestellten und eingeführten Aktuare. In den „Celleschen Anzeigen" vom 24. und 27. November des Jahres lesen wir über die Ernennung des Amtsassessors Johann Georg Conrad Eggers zu Meinersen zum Amtmann.

Die Amtstrachten der Richter bestanden aus einer schwarzwollenen Robe mit Barett. In dem damaligen Gerichtsverfassungsgesetz war verfügt: „Wer das Wort ergreifen will, hat das Barett aufzusetzen, kann dasselbe aber während des Vortrages wieder abnehmen."

Die Dienstkleidung der Aktuare und Gerichtsvögte bestand aus einem Oberrock aus dinkelblauem Tuch mit zwei Reihen von je sechs Uniformknöpfen und einem Stehkragen, für die Aktuare in „ponceaurot" und für die Gerichtsvögte in schwarz. Dazu wurde eine Kappe aus dunkelblauem Tuch getragen.

Nicht alle Zivilsachen wurden den Amtsgerichten übertragen. Die Konsistorien blieben weiterhin zuständig für die Entscheidung der Ehestreitigkeiten und die

Kirchspielgerichte (Dorfgerichte) im Lande Hadeln für die Vormundschafts-
und Kuratelsachen (Entmündigungssachen). Auch blieben das Universitätsge-
richt in Göttingen, das Oberhofmarschallamt in Hannover und das Bergamt in
Goslar unangetastet.

## Bekanntmachung.

In Veranlassung des Rescripts Königlichen
Justiz-Ministerii vom 18. d. Mt. werden hierdurch
die Namen der seit dem 1. October d. J. bei dem
Königlichen Obergerichte zu Celle und den Königlichen Amtsgerichten des hiesigen Obergerichtsbezirks für den äußeren Dienst angestellten und
eingeführten Gerichtsvoigte im Nachstehenden
öffentlich bekannt gemacht:

Obergericht Celle: Häberlin und Oltrogge.
1) Amtsgericht Ahlden: Oelkers.
2)           Beedenbostel: Schulz.
3)           Bergen: Hartmann.
4)           Burgdorf: Fuchs.
5)           Burgwedel: Schaumann.
6)           Bissendorf: Chemnitz.
7)           Celle: Meyer, Schacht, Beißner.
8)           Eicklingen: Ahlborn.
9)           Fallersleben: Bierwirth.
10)          Fallingbostel: Hische.
11)          Walsrode: Leuenroth.
12)          Gifhorn: von Reiche, Henke.
13)          Ilten: Nolte.
14)          Isenhagen: Hofmeister.
15)          Knesebeck: Ernst.
16)          Meinersen: Borchers.
17)          Rethem: Molsen.
18)          Soltau: Vacat.
Celle, den 27. October 1852.
**Die Staatsanwaltschaft des Königlichen
Obergerichts.**
Albrecht.

*Cellesche Anzeigen vom 30. Oktober 1852.*      **Repro: Blazek**

In „bürgerlichen Sachen" war das Amtsgericht zuständig für die streitige Gerichtsbarkeit, soweit der Streitwert nicht mehr als 100 Taler betrug. Unabhängig
vom Streitwert war das Amtsgericht zuständig für Streitigkeiten, die die Wege-
gerechtigkeit, Grenzberichtigung, Injurien, Ansprüche des unehelichen Kindes,
Streitigkeiten zwischen Dienstherrn und Dienstboten, zwischen Vermieter und
Mieter sowie Arrest, „einstweilige Maßregeln in dringenden Fällen" und Kon-
kurse zum Gegenstand hatten. Über im Konkurs angemeldete und bestrittene
Forderungen über 100 Taler hatte das Obergericht zu entscheiden.

*Cellesche Anzeigen vom 13. November 1852.*      *Repro: Blazek*

Die Zuständigkeit des Amtsgerichts in Strafsachen umfasste die Untersuchung und Aburteilung in Polizei-Strafsachen, die Aburteilung über Berufungen in denjenigen Polizei-Strafsachen, deren Untersuchung und Bestrafung den Gemeinden und Körperschaften überlassen war, die Kriminal-Sachen sowie die Aufsicht über das Amtsgefängnis. Letztere Zuständigkeit führte zu einer erheblichen Entlastung der Stadt- und Ämterkassen, denn die Unterhaltskosten für die Strafgefangenen waren nun von der Landesherrschaft zu tragen.

Mit den Neuerungen des Jahres 1852 verknüpft war im Königreich Hannover die zeitgleiche Einführung der Staatsanwaltschaften bei den königlichen Obergerichten, die infolge der Einrichtung eines modernen Anklageverfahrens notwendig geworden war, und für die Obergerichte die Einführung der Schwurgerichte. Dazu kam schließlich die Einführung neuer Gerichtsgebührenordnungen.

In den „Celleschen Anzeigen" vom 24. und 27. November 1852 wurde bekannt gemacht:

*In Folge der Ernennung des Amts=Assessors Eggers zu Meinersen zum Amtmann, des Dr. jur. Klée zu Ahlden zum Amtsrichter und des Cantors Riechelmann zu Wilhelmsburg zum Amtsgehülfen sind für die von diesen in der 2. Cammer der allgemeinen Ständeversammlung bisher vertretenen Wahlbezirke der Landgemeinden, nämlich den 8., 9. u. 12. Wahlbezirk, nach § 49 des Verfassungs=Zusatz=Gesetzes vom 5. September 1848 Neuwahlen erforderlich geworden. Die geographische Begrenzung der Wahlbezirke ist ungeachtet der nach den Verordnungen vom 7. August und 28. September d. J. eingetretenen veränderten Eintheilung der obrigkeitlichen Gebiete unverändert dieselbe, wie sie in der Anlage C. des Wahlgesetzes vom 26. October 1848 bezeichnet ist. Es umfaßt demnach gegenwärtig*

*der 8. Wahlbezirk die Aemter Fallersleben, Gifhorn, Papenteich zu Gifhorn, Isenhagen, Knesebeck und Meinersen und vom Amte Burgdorf die Voigtei Uetze;*

(...)

Mit der Gebietsreform vom 1. Juli 1859 wurden die Verwaltungs- und Gerichtsbezirke des Königreichs neu eingeteilt. Das Amt Eicklingen kam nun teilweise zum Amt Meinersen (nämlich die Dörfer Müden, Flettmar, Böckelse, Hohnebostel, Bröckel, Wiedenrode, Langlingen, Nienhof und Neuhaus), der Rest fiel an das Amt Celle. Aus den bis 16. Mai 1859 bestehenden 16 Obergerichten wurden zwölf gebildet. Mittlerweile waren im Königreich Hannover 233 Einzelrichter tätig. 24 Amtsgerichte waren mit nur einem Richter, 79 mit zwei oder mehr Richtern besetzt. Das Amtsgericht Hannover hatte mit zehn Amtsrichtern die größte Zahl.

*Idyllisch: das „Poorthus" in Meinersen im Jahre 2008.*     *Foto: Horst Berner*

Mit der Einverleibung Hannovers in das Königreich Preußen 1866 änderte sich zunächst wenig. Natürlich galt nun preußisches Recht.

Das Handbuch für die Provinz Hannover auf das Jahr 1870 (der Amtsbezirk umfasste jetzt 1637 Wohngebäude mit 10548 Einwohnern) nannte inzwischen den Amtsgerichtsassessor Hermann Crusen, den Aktuar J. H. Schulze und den Gerichtsvogt J. H. Eitzmann.

Eine Notiz am Rande: Der spätere Oberrichter von Tsingtao (1902-1914) Dr. jur. Georg Crusen wurde am 15. Mai 1867 in Meinersen geboren. Von 1925 bis 1932 war er Präsident des Obergerichts der Freien Stadt Danzig. Er starb am 14. November 1949 in Gerlingen bei Stuttgart.

Am 18. Januar 1871 wurde im Schloss von Versailles das Deutsche Kaiserreich gegründet. Am 1. Oktober 1879 traten die Reichsjustizgesetze in Kraft und brachten das Gerichtsverfassungsgesetz, die neue Zivilprozessordnung und die neue Strafprozessordnung. Es ergaben sich erhebliche Veränderungen bei der Organisation der Gerichte und Staatsanwaltschaften. Die bisherigen Obergerichte wurden zu Landgerichten, die Kronanwaltschaften zu Staatsanwaltschaften. Zum Bezirk des Landgerichts Hildesheim und damit der Staatsanwaltschaft gehörten jetzt – nachdem einige Amtsgerichte geschlossen und andere neu eröffnet worden waren – die Amtsgerichte Alfeld, Bockenem, Burgdorf, Elze, Fallersleben, Gifhorn, Goslar, Hildesheim, Liebenburg, Meinersen und Peine. Die Zahl der Gerichtseingesessenen betrug dort insgesamt 227000 und wuchs bis 1898 auf 290000 an.

Dr. jur. Theodor Roscher war bis 1875 in der alten Registratur des Amtsgerichts Meinersen angestellt. Roscher schrieb „Zur Geschichte der Familie Roscher in Niedersachsen" (Hannover 1892, 166 S.), den Aufsatz „Criminalia" für den 1. Jahrgang der Hannoverschen Geschichtsblätter (1898) und „Geschichtsblätter der Niedersächsischen Familie Roscher" (Hannover 1909, 121 S.) und gab „Roscherania", drei Weihnachtshefte der Jahre 1911 bis 1913, heraus.

1880 gehörten dem Gericht neben zwei Amtsrichtern ein Amtsanwalt, zwei Sekretäre, ein Assistent und zwei Gerichtsvollzieher an. Zwei Rechtsanwälte und Notare waren zugelassen.

Durch die preußische Kreisordnung vom 1. April 1885 entstand beim Amtsricht Meinersen das Kuriosum, dass das Amt Meinersen auf die Kreise Celle, Peine und Gifhorn aufgeteilt war. Die Gemeinden, die dem Landkreis Gifhorn angehörten, fielen zum Amtsgerichtsbezirk Gifhorn.

Was tat sich in den folgenden Jahrzehnten Wichtiges im Bereich der Jurisdiktion? Am 1. Januar 1900 wurde das Bürgerliche Gesetzbuch (BGB) eingeführt, das in Deutschland das alte römische Recht, das corpus juris civilis, ablöste. Nach dem Ersten Weltkrieg kam es zur Einführung des gerichtlichen Vergleichsverfahrens für zahlungsunfähige aber sanierungsfähige Schuldner, zur neuen Erbbaurechts- und Siedlungsgesetzgebung, im Jahre 1921 begann die so genannte Kleine Justizreform, kraft derer die ehemaligen Gerichtsschreiber nun als Rechtspfleger in großem Umfange bisher richterliche Geschäfte selbstständig und mit großem Erfolg erledigen durften. 1922 wurde das Gesetz für Jugendwohlfahrt eingeführt. Das Aufwertungsgesetz vom 16. Juli 1925 bildete den Abschluss der Abwertung von Schuldverhältnissen in der Zeit der Hyperinflation, und 1933 folgte die landwirtschaftliche Schuldenregelung, die beide die Arbeitskraft der Gerichtsorganisation völlig zu sprengen drohten, die Anerben- und Vertragshilfegesetzgebung, 1924 die Emmingersche Strafprozessreform, die den Amtsgerichten die erweiterten Schöffengerichte brachten, 1927 die Gründung der Arbeitsgerichte, 1947 die Einführung der Landwirtschaftsgerichte nach dem Muster des alten hannoverschen Höferechts, 1933 die unselige Erbgesundheitsgesetzgebung, mit deren Abwicklung die Amtsgerichte noch jahrzehntelang befasst waren, 1923 und 1943 neue Jugendgerichtsgesetze. Ab 1945 war im Vordergrund die in ihrer Durchführung ganz verfehlte Entnazifizierung, deren Hauptmangel darin bestand, dass sie sich nicht in rechtsstaatlichen Formen vollzog. Außerdem wurde ab 1945 auch die Justiz unter Aufsicht und Gesetzgebung von Kontrollrat und Militärregierung gestellt. Dann kamen die unübersehbare Fülle der Todeserklärungen Verschollener, 1948 die Umstellungsgesetze nach der Währungsreform und 1949 endlich mit dem Bonner Grundgesetz die neue westdeutsche Bundesrepublik.

Das Gebäude des Königlich Hannoverschen und später Königlich Preußischen Amtsgerichts Meinersen wurde im Jahre 1935 dem Deutschen Reich unterstellt und als Reichsgrundbesitz ausgewiesen.

Erinnerungen: Spaß an Gags hatten Gerda und Harry Schmähl aus Edemissen schon immer. So sollte auch der 5. Mai 1955 ihr Hochzeitstag werden. Doch Hals über Kopf wurde am 9. März des Jahres geheiratet, denn dem jungen Schlosser wurde zum 1. April eine Werkswohnung von der Preussag angeboten – „aber nur, wenn du dann verheiratet bist". Diese Rarität zur damaligen Zeit wollte sich das junge Paar, das sich seit der Vertreibung aus Schlesien kannte und bereits einen einjährigen Sohn hatte, nicht entgehen lassen. Schmunzelnd erinnerte sich Harry Schmähl bei der Goldenen Hochzeit an seine Fahrradtour zum Amtsgericht in Meinersen und sein Grummeln im Bauch dabei: „Dort musste ich meine Vaterschaft anerkennen und wurde streng aufgeklärt. Es waren noch andere Zeiten damals. Aber unsere Eltern standen voll hinter uns."

Am 1. April 1959 wurde das Amtsgericht Meinersen aufgehoben. Etwa die Hälfte des Einzugsbereichs ging damals in das Amtsgericht Peine auf. Der übrige Teil wurde den Amtsgerichten Gifhorn und Celle zugeschlagen. Ohof, bisher beim Amtsgericht Peine aufgehängt, wurde im Zuge der großen kommunalen Gebietsreform am 1. Januar 1974 vom Amtsgericht Gifhorn übernommen.

**Quellen und Literatur zur Geschichte des Amtsgerichts Meinersen:**

ohne Autor: Sammlung der Gesetze, Verordnungen und Ausschreiben für das Königreich Hannover, 1827-1866 (40 Bände)

Heinrich Ringklib: Statistische Übersicht der Eintheilung des Königreichs Hannover nach Verwaltungs- und Gerichtsbezirken in Folge der neuen Organisation der Verwaltung und Justiz, Schlütersche Hofbuchdruckerei, Hannover 1859

Karl Meyer: Zusammenstellung der sämtlichen für das ehemalige Königreich Hannover in der Zeit vom 20.09.1866 bis zum 01.10.1867 erlassenen Gesetze, Verordnungen, Allerhöchste Erlasse, Ausführungsbestimmungen und sonstigen allgemeinen Verfügungen, Hannover 1868

Heinrich Albert Oppermann: Zur Geschichte des Königreichs Hannover von 1832 bis 1866, Berlin 1868

William A. v. Hassell: Geschichte des Königreichs Hannover, 3 Bände, Bremen 1898, Leipzig 1899, 2. Band, Leipzig 1899

Erich Rosendahl: Geschichte Niedersachsens im Spiegel der Reichsgeschichte, Helwing, Hannover 1927

Golo Mann: Deutsche Geschichte des 19. und 20. Jahrhunderts, Frankfurt 1958

Ernst Birke; Georg Wilhelm Sante (Hrsg.): Geschichte der Deutschen Länder, „Territorien-Ploetz", Band 2, Würzburg 1971

Karl Gunkel, Oberlandesgerichtsrat in Celle: Zweihundert Jahre Rechtsleben in Hannover – Festschrift zur Erinnerung an die Gründung des kurhannoverschen Oberappellationsgerichts in Celle am 14. Oktober 1711, Hannover 1911

275 Jahre Oberappellationsgericht Celle 1711-1986, Festschrift zum 275-jährigen Bestehen des Oberlandesgerichts Celle, Celle 1986

Veit Valentin: Geschichte der Deutschen Revolution von 1848-1849, Band 1, Weinheim und Berlin 1998

NN: Festrede zum 100-jährigen Bestehen des Amtsgerichts Hannover im Jahr 1952, http://www.amtsgericht-hannover.niedersachsen.de/master/C8815209_N6916202_L20_D0_I4798307.html

Manfred Ernst: Die Errichtung des Amtsgerichts und Obergerichts in Lehe im Jahre 1852, http://www.amtsgericht-bremerhaven.bremen.de/sixcms/media.php/13/fest2002_beitrag_2.pdf

verschiedene Autoren: Festschrift 150 Jahre Amtsgerichte im Bereich des ehemaligen Königreichs Hannover 1852-2002, Hildesheim 2002

Mijndert Bertram: „Historische Einleitung zur hannoverschen Justizreform v. 1852", Aufsatz in: Das Amtsgericht Celle 1852-2003, Geschichtlicher Rückblick – Heutige Aufgaben, hrsg. von der Projektgruppe „Geschichte des Amtsgerichts Celle" (Gisela Biermann, Joachim Hartig, Manfred Neumann, Harald Stammann), Celle 2003, S. 11 ff.

Michael Stolleis: Geschichte des öffentlichen Rechts in Deutschland, Band 2 (1800-1914), München 1992

Reinhard Oberschelp: Politische Geschichte Niedersachsens 1803-1866, Hildesheim 1988

# Anhang 1: Stammtafeln

Es ist bemerkenswert, wie eng manche Adeldynastien verwandtschaftlich zusammenhängen. Interessant ist vor allem auch, dass manche Beamte, die zeitgleich in Meinersen wirkten, durch Heiraten miteinander verbändelt waren:

**Conrad Barnstorf (Bernstorff)**, (1665) Amtmann Meinersen. 1. Tochter NN, * 1665, † Grohnde/Weser 05.08.1703, ∞ 1692 Johann Christian Scheidemann, * Hagenohsen 09.09.1658, † Grohnde 17.09.1709, Hausverwalter ebenda und Kätner in Brockensen (Eltern: Georg Scheidemann, getauft Hagenohsen 23.09.1627, † ebenda 07.10.1698, Kätner und Krüger ebenda, ∞ 1657 Anna Dorothea Lüdeking, * vermutlich Hameln 1634, † vermutlich Hagenohsen 06.04.1673).

Der Epitaph in Päse gehört möglicherweise zu dieser Person: Johann Ludolph Barnstorf, * Einbeck/Alex um 1696, † Syke 1758, Universität 12./13.05.1716 Jena, Amtschreiber: 17.. Bremervörde, 1735 Blumenau, Amtmann: 1740 Westerhof, 1749 Syke (Vater: Conrad Barnstorf, Verwalter des Stifts St. Alexandri in Einbeck), ∞ I. Gut Trögen 11.02.1734 Sophie Heinsius (Eltern: Georg Alexander Heinsius, auf Trögen, ∞ Sophia Rosina Beurmann, * 1683, † Trögen 15.12.1738), ∞ II.(I.) ... Caroline Elisabeth Schröder, * Sulingen 04.01.1723, † ebenda 05.09.1786, sie ∞ II.(I.) ebenda 29.05.1759 David Johann v. d. Horst.

**Brand Ernst von Bothmer**, * Gilten 19.07.1703, † ebenda 13.08.1762, Universität 11.11.1724 Jena, 1738 Drost Meinersen, 1744 Oberhauptmann ebenda; 1756 Ritterschafts-Deputierter (Eltern: Levin Christoph von Bothmer, * Gilten 28.03.1680, † ebenda 06.12.1743, Universität 16.09.1697 Helmstedt, Landrat und Landkommissar; auf Gilten, ∞ 1702 Margarethe Catharina v. Weyhe, † Gilten 14.10.1736), ∞ Meinersen ... Sophie Emerentia v. Bülow, * 1723, † Meinersen 04.02.1763, Konventualin in Wienhausen (Eltern: Johann Friedrich von Bothmer, kurhannoverscher Kapitänleutnant; auf Klein-Bölkow und Neuenkirchen/Mecklenburg, ∞ Margarethe Eva v. Seeherr, verwitwete v. Vieregge). Kinder, * Meinersen, jedoch 3 * Gilten: 1. Carl Ludwig Friedrich August, * 02.04.1749, † Meinersen 06.05.1754. 2. Margarethe Agnes, * 29.06.1749, † Meinersen 29.10.1749. 3. Elise Lucia Charlotte, * 13.01.1751, † Gilten 06.05.1752. 4. Erneste Auguste, * 04.01.1752, † Meinersen 12.04.1752. 5. Adolf Levin Ernst Friedrich, * 21.10.1753, † Celle 26.03.1832, Universität 28.10.1771 Göttingen (Jura), 10.12.1783 Premier-Leutnant im Leibgarde-Regiment, (1795) Rittmeister, ∞ ... 14.11.1795 Luise Auguste v. Vieregge (v. Viereck) (Eltern: Vollrath Josua v. Vieregge, -1763- Rittmeister im Kavallerie-Regiment 3 A, -1767- Kapitän in 5. Dragoner-Regiment, 1782 Major im 2. Garnison-Regiment, ∞ Hedwig Auguste v. Sandbeck). 6. Luise Sophie Margarethe, * 03.10.1754, † Gilten 21.01.1805, ∞ I. Salzdahlum 30.01.1777 Friedrich Heinrich Freiherr v. Marenholtz, ∞ II.(I.) Salzdahlum 29.10.1782 Christian Otto Ludwig Freiherr v. Marenholtz (Bruder des ersten Ehemanns), * Celle 04.09.1757, † ebenda 20.02.1814, Universität 18.10.1775 Göttingen (Jura); Landrat; auf Dieckhorst. 7. Johann Christoph Friedrich, * 24.04.1756. 8. Ernst August, * 18.09.1757, † Meinersen 07.11.1757.

**Literatur:** 1. Adelslexikon (v. Bothmer: II/33-34; v. Bülow: II/161-164), 2. Bothmer (XIV/376, 458-465, 293), 3. Bylburg (A.L.E.F. v. Bothmer: 83; v. Vieregg Eltern: 111, 132, 317), 4. Wurmb (A.L.E.F. v. Bothmer: 46, 190).

**Heinrich Ernst Ludwig Meyer**, * Lauenburg 17.03.1731, † Westen 03.01.1815, Universität 09.10.1749 Göttingen, Auditor: 1754 Lauenburg, 1756 Calenberg, Amtschreiber: 1759 ebenda, 1760 Meinersen, Amtmann: 1769 ebenda, 1786 Westen bei Verden, 1800 Oberamtmann, ∞ Fallersleben 19.11.1761 Eleonore Friederike Strube, * Neustadt/Rbge. 01.03.1745, † Verden 08.04.1828. Kinder, * Meinersen: 1. Arnold Anton Friedrich, * 17.10.1762, 2. Friedrich Ludwig, * 23.04.1767, † Brüssel 06.07.1815 (an den 18.06.1815 bei Waterloo erlittenen Verwundungen), 10.03.1785 Seconde-Leutnant im 9. Dragoner-Regiment, 04.01.1793 Premier-Leutnant, 11.11.1794 Kapitän, .... Oberstleutnant im 3. Husaren-Regiment der EDL, ∞ Misburg 04.09.1803 Caroline Cropp, * 1788, † Hannover 01.04.1857 (Eltern: Johann Georg Christoph Cropp, * Misburg 23.10.1753, † Burg bei Hannover-Herrenhausen 29.11.1821, Hauptmann und Besitzer des Gutes ebenda, ∞ ... Dorothea Christine Louise Gieseler, * Hartum 08.02.1762, † Misburg 30.06.1809); sie ∞ II.(I.) ... Georg (1832 Freiherr v.) Krauchenberg, * Celle 12.06.1776, † Hannover 14.05.1843, Generalmajor (Vater: Peter Coelestin Krauchenberg, * Bülkau/Oste um 1734, Universität 21.10.1754 Göttingen, Hofgerichts-Sekretär und Garnisonauditeur = Militärjurist in Celle). 3. Louise Eleonore, * 1769, 1784 in Meinersen konfirmiert. 4. Henriette Wilhelmine Philippine, * 1772, † Wilhelmsburg 03.04.1801, ∞ I.(II.) ... Friedrich Franz Rautenberg. 5. Georg August, * 19.05.1775, † New York 19.07.1850, Kaufmann ebenda, ∞ ... 18.07.1809 Johanna Catharina v. Lengerke, * Bremen 10.05.1785, † ... 26.12.1835 (Eltern: Johann Heinrich v. Lengerke, * Bremen 01.06.1746, † ebenda 03.10.1798, Kaufmann ebenda, ∞ ... 24.08.1773 Margaretha Retberg, * ... 15.03.1754, † Bremen 26.04.1832). 6. Theodor Georg Heinrich, * 27.02.1777, † New York 26.10.1840, Kaufmann ebenda, ∞ ... 18.01.1815 Wilhelmine Henriette v. Lengerke, * Bremen 18.10.1787, † ... 10.02.1826 (Eltern: wie Johanna Catharina v. Lengerke, siehe oben Ziffer 5). 7. Ernst Ludwig, * 1778, † Uelzen 18./19.01.1810, Dr. med., Arzt in Uelzen. 8. Charlotte Sophie, ∞ Westen 05.05.1803 Georg Christian Melchior Hofmeister. Dieterichs, Johann Friedrich, * Hagen um 1748, † Meinersen 26.02.1815, Universität 18.04.1768 Göttingen, 1771 Auditor Bederkesa, Amtschreiber: 1776 Stotel, 1779 Schwarzenbek, 1782 Neuhaus/Elbe, Amtmann: 1794 ebenda, 1795 Meinersen, ∞ NN Albers. Kinder (1 * Schwarzenbek, 2-5 * Neuhaus/Elbe): 1. Ernst, * 1780, † Neuhaus/Elbe 15.08.1786. 2. Johann Georg Friedrich, * 22.03.1783, 3. Heinrich Leonhard August * 09.03.1785, 4. Georg Heinrich Wilhelm, * 22.09.1787. 5. Hedwig Eleonore Luise, * 18.02.1789, ∞ Meinersen 07.06.1811 Georg Friedrich Deneke, * Celle um 1769, Universität 02.05.1789 Göttingen, Dr. jur., (1811) Richter am Ziviltribunal Celle. Sohn: Dieterichs, Johann Georg Friedrich, * Neuhaus/Elbe 22.03.1783, Uni: Halle, 09.06.1803 Göttingen, 1808 Amtschreiber Gifhorn, 1814 Amtsassessor Meinersen.

**Ernst Bodo Friedrich von Alten**, * Hannover-Neustadt 29.08.1754, † Burgwedel 27.06.1799, Universität 12.05.1775 Göttingen, Drost: 1783 Burgdorf, 1786 Meinersen, 1790 Burgwedel, 1797 Oberhauptmann, ∞ Hameln/Garn 23.11.1783 Auguste Wilhelmine Dorothee Henriette Johanne von dem Bussche, * Osnabrück 22.04.1765, † Burgwedel 28.10.1805 (Eltern: Georg Wilhelm Daniel von dem Bussche, * Minden 24.07.1726, gefallen bei Nimwegen 11.12.1794, General der Infanterie und Chef des 7. Infanterie-Regiments, ∞ I. Hünnefeld 09.07.1764 Auguste Johanne von dem Bussche, * ebenda 24.01.1745, † Osnabrück 28.04.1765). 1. August Georg Hans Clamor Friedrich, * Burgdorf 16.11.1784, † London 21.01.1810, 08.11.1803 Kapitän im 1. leichten Bataillon der Englisch-Deutschen Legion; auf Gut Wilkenburg, Sunder und Thüle. 2. Wilhelmine Henriette Luise Elisabeth, * Burgwedel 08.01.1792, † Hannover 15.01.1824, ∞ Zellerfeld 09.10.1817 Johann Gottfried v. Einem, * Gladebeck 15.11.1783, † Lüneburg 04.09.1850, 26.01.1806 Eintritt in die Englisch-Deutsche Legion, 28.04.1814 Kapitän und Brigade-Major (= Adjutant), zuletzt königlich hannoverscher Oberstleutnant (Eltern: Gotthard Daniel v. Einem, * Jacobidrebber 15.11.1735, † Gladebeck 19.04.1805, Universität 14.10.1754 Göttingen, Pastor adjunct Gladebeck, 1768 Pastor ebenda, 1802 Superintendent ebenda, ∞ II. ebenda 13.10.1776 Martha Christiane Sophie Friederike Meier, * Erfurt 05.11.1745, † ebenda 21.02.1825). 3. Elisabeth Luise Wilhelmine, * Burgwedel 26.04.1793, † ... 01.08.1822, ∞ I. ... 01.07.1812 Georg Wilhelm Friedrich Philipp v. Hammerstein, * Equord 17.02.1777, † Antwerpen 09.07.1815 (an den 18.06.1815 bei Waterloo erlittenen Verwundungen), königlich hannoverscher Major und Kammerherr (Eltern: Georg August v. Hammerstein, * ... 03.06.1734, † ... 07.05.1813, kaiserlich wirklicher Kammerherr; auf Equord usw., ∞ ... 28.02.1769 Henriette Charlotte Sophie Wilhelmine v. Münster a. d. H. Surenburg, * ... 07.07.1752, † ... 24.02.1796) ∞ II.(I.) ... 28.12.1818 Hans Friedrich Jacob Johann Carl August Ludwig v. Uslar-Gleichen, * Vogelsang 12.06.1787, † Northeim 25.09.1845, 1838 Major im 2. hannoverschen Infanterie-Regiment, 1843 Oberstleutnant und Chef des Regiments (Eltern: Christian Wilhelm Wedekind Christoph Dietrich v. Uslar-Gleichen, * Radolfshausen 05.02.1757, † Zeitz 24.11.1813, 04.01.1787 Kapitän in 3. Infanterie-Regiment, 1790 im 12. Infanterie-Regiment, 1791 im 10. Infanterie-Regiment, 1795 im 13. Infanterie-Regiment; auf Gleichen, Waake und Sieboldshausen, ∞ ... 06.07.1785 Charlotte Johanna Christina Augusta Freiin v. Richter, * ... 22.01.1769, † Zeitz 15.09.1833). 4. Carl Ernst Victor Georg, * 1799, † 1801.

**August Christian Friedrich Gottlob von Harling**, * 13.08.1772, † Hannover 21.01.1840, Universität 09.11.1790 Göttingen, Auditor: 1799 Winsen/Luhe, 1801 Meinersen, Drost: 1801. Gifhorn; Senior des Stifts St. Alexandri in Einbeck (Eltern: Georg Gottlieb von Harling, * 1720, † Bienenbüttel 16.04.1799, -1755- Kapitänleutnant im Leib-Regiment, -1757- im Kavallerie-Regiment 3 A, -1763- im Kavallerie-Regiment 1 B, -1790- als Oberst Chef des 1. Garnison-Regiments, ∞ Friederike Eberhardine v. Heimburg aus Gut Eckerde, † Lüneburg 27.04.1805), ∞ NN Meynern. Sohn: Heinrich Carl, * Göttingen 11.02.1813, † Berlin 15.12.1878, Universität 04.05.1829 Göttingen, Dr. jur., königlich preußischer Geheimer Oberregierungsrat, ∞ Hildesheim 18.10.1859 Mathilde Caroline Marianne Julie v. Schwarzkopf, * ebenda 10.06.1832, † Hannover 03.02.1896.

**Carl Johann Georg von Düring**, * Horneburg 10.04.1773, † Meinersen 10.09.1862, Schule Bremen/Athenaeum, Universität: Sommersemester 1791 Jena, 1792 Göttingen, Auditor: 1795 Moisburg, 1797 Bremervörde, 1799 Bederkesa, Drost: 1800 ebenda, 1801 Harsefeld, 1807 Winsen a. d. Aller, 1810 königlich westphälischer Kantonsmaire und Friedensrichter ebenda, 1811 kaiserlich französischer Receveur élémentaire (mit Wohnsitz in Horneburg), erneut Drost: 1813 Winsen a. d. Aller, 1815 Meinersen, 18.. Oberhauptmann, 1852 in Pension; Begründer

der von Düringschen Familienstiftung (Eltern: Georg Albrecht von Düring, *
11.09.1728, † Horneburg 16.12.1801, Generalmajor und Chef des 9. Infanterie-
Regiments; auf Horneburg V und Francop I, ∞ Altluneberg 21.11.1771 Anna Marie
Lucie v. Roenne, * 02.05.1750, † Horneburg 16.04.1804), ∞ I. Stade 13.05.1800
Louise Sophie von Borries, * ebenda 24.01.1774, † Meinersen 25.01.1817 (Eltern:
Otto Heinrich von Borries, getauft Stade 10.11.1728, † ebenda 21.11.1785, Universität: 07.05.1748 Jena, 14.10.1750 Göttingen, Geheimer Justizrat in Stade, ∞ Eleonore Sophie Freiin Grote). Kinder (1-5 * Harsefeld, 6-7 und 9 * Winsen a. d. Aller,
8 * Horneburg, 10-17 * Meinersen): 1. Wilhelmine Louise Eleonore, * 05.10.1801,
† Celle 14.06.1891, Konventualin in Isenhagen. 2. Maria Anna Friederike Sophia
Charlotte, * 14.11.1802, † Winsen a. d. Aller 19.08.1808. 3. Henriette Charlotte, *
02.01.1804, † Isenhagen 09.01.1885, 1841 Chanoinesse und 1870 Äbtissin ebenda.
4. Caroline Louise, * 16.09.1805, † Walsrode 03.04.1871, 1837 Chanoinesse und
1862 Äbtissin ebenda. 5. Otto Albrecht, * 10.01.1807, † Celle 11.04.1875, Schule
Holzminden, Universität 28.10.1824 Göttingen, 1847 Oberappellationsrat in Celle,
1848 königlich hannoverscher Justizminister, 1850 erneut Oberappellationsrat in
Celle, Präsident: 1859 des Oberappellationsgericht Celle, 1867 des preußischen
Appellationsgerichts ebenda; auf Ahlerstedt, ∞ Stade 18.10.1842 Elisabeth Caroline Stromeyer, * ebenda 11.06.1822, † Celle 04.05.1879 (Eltern: Friedrich Andreas
Stromeyer, Kanzleidirektor und Justizrat in Stade, ∞ Caroline Henriette Lappen-
berg). 6. Diedrich Franz, * 23.11.1808, † Meinersen 08.11.1818. 7. Sophie Friederike Charlotte, * 01.07.1811, † Walsrode 05.01.1870. 8. Auguste Sophie, *
05.12.1812, † Meinersen 19.05.1834. 9. Caroline Luise, * und † 10.06.1814. ∞
II.(I.) Meinersen 08.08.1817 Sophie Louise Henriette v. Hartwig, * Sittensen
30.06.1789, † Meinersen 28.08.1862 (Eltern: Georg Heinrich Friedrich v. Hartwig,
* 1755, † Horneburg 30.01.1801, Rittmeister im 4. Kavallerie-Regiment; auf
Borstel, ∞ I. Johanne Wighardine di Malaspina, † 1796). 10. Heinrich Albrecht
Ernst, * 12.12.1819, † Celle 05.11.1826. 11. Georg Wilhelm Arp Ido, *
10.02.1821, † Burg bei Magdeburg 20.11.1869, königlich preußischer Oberstleutnant, ∞ Hildburghausen 16.07.1857 Sophie Johanne Louise von Düring, * Hannover 07.08.1819, † Bückeburg 16.03.1897 (Eltern: Albrecht Hieronymus Werner
von Düring, * Horneburg 12.10.1776, † Hannover/GK 07.06.1820, königlich hannoverscher Major, ∞ Bargstedt bei Stade 31.08.1806 Caroline Dorothea Johanna
von Borries, * Stade 30.08.1781, † Göttingen 04.02.1844). 12. Carl Ludwig, *
09.04.1822, † Stade 08.12.1905, Schule Celle, Universität 02.05.1842 Göttingen,
königlich preußischer Amtsgerichtsrat; auf Horneburg V und Ahlerstedt, ∞ Meinersen 13.04.1852 Wendeline Clementine Charlotte von der Decken, genannt v.
Offen, * Verden 23.04.1834, † Walsrode 02.02.1910 (Eltern: August Gustav Adolf
von der Decken, * Celle 02.07.1792, † Hildesheim 13.10.1840, königlich hannoverscher Major; auf Kuhla, ∞ 09.03.1825 Wendeline Sophie Elisabeth v. Schlütter,
* Kuhla 12.04.1803, † Verden 17.01.1839). 13. Ottilie Charlotte Hedwig Wilhelmine, * 13.12.1823, † Hamburg 18.12.1850, ∞ Meinersen 28.12.1847 Carl Franz
Heinrich de Dobbeler, * Hamburg 14.09.1817, † Winsen/Luhe 28.02.1886; auf
Wuhlenburg. 14. Franz Wilhelm, * 26.01.1825, † Weener 19.05.1908, königlich
hannoverscher Rittmeister im Regiment Cambridge-Dragoner, ∞ I. Weener
12.09.1857 Hedwig Georgine Estinghausen, * ebenda 20.08.1827, † Hameln
11.09.1873 (Eltern: NN Estinghausen, Land-Physicus, ∞ Kundine Elsina Antoni),

∞ II.(I.) Weener 23.12.1874 Fanny Johanna Estinghausen (Schwester der ersten Ehefrau), * ebenda 02.12.1832, † Bielefeld 02.12.1906. 15. Franz Philipp, * 16.04.1826, † Meinersen 02.07.1826. 16. Friedrich Ernst Ludwig, * 11.08.1827, † Celle 19.09.1880, königlich hannoverscher Hauptmann, ∞ Celle 11.09.1876 Georgine Wilhelmine Sophie Helene Auguste Marie v. Ramdohr, * Nienburg 19.02.1838, † Celle 19.01.1894 (Eltern: Wilhelm Albrecht Andreas v. Ramdohr, * Beedenbostel 02.12.1800, † Celle 25.01.1882, königlich hannoverscher Generalleutnant, ∞ Nienburg 11.07.1828 Wilhelmine Louise v. Hugo, * Celle 06.07.1804, † ebenda 13.04.1875). 17. Louise Charlotte Auguste, * 08.12.1830, † Meinersen 10.09.1847.

*Das Grab von Carl Johann Georg von Düring auf dem Meinerser Kirchhof. Foto: Blazek ↑*

**Otto Carl Niemeyer**, * Springe 02.07.1775, † Reinhausen 06.12.1847, Universität 09.05.1794 Göttingen, Auditor: 1798 Blumenau, 1799 Stolzenau, Amtschreiber: 1800 ebenda, 1802 Ilten, 1814 Meinersen, 1817 Amtsassessor, ... 18.. Oberamtmann, ∞ Ilten 21.02.1811 Eva Juliane Auguste Louise v. Uslar-Gleichen, * ebenda 08.03.1783, † Reinhausen 17.01.1845. Kinder (1 * ..., 2-7 * Meinersen): 1. Tochter NN. 2. Otto Carl, * 1813, † Celle 01.02.1869, Schule Holzminden, Universität: 05.05.1832 Göttingen (Jura), 30.10.1832 erneut Göttingen (Kameralistik), Obergerichtsassessor in Hannover, 1860 Oberappellationsrat in Celle. 3. Tochter NN. 4. Georg Friedrich Hermann, * 20.01.1817, † 1851. 5. Gustav Adolph Friedrich Eberhard, * 21.04.1818, † 1851, Steuersupernumerar in Hildesheim. 6. Carl Georg Gustav, * 21.05.1820, † 1883. 7. Tochter NN, * 15.08.1821.

\* Für das Bereitstellen dieser wertvollen Angaben gebührt Dr. Hans-Cord Sarnighausen, der dafür sein Familienarchiv geöffnet hat, ein aufrichtiger Dank:

*Der Galgenberg bei Ohof. Obere drei Fotos:*
*01.09.2008, unten: 10.10.2005. Fotos: Blazek*

## Anhang 2: Die Orte des Amtes Meinersen um das Jahr 1590

Immerhin 46 Ortschaften zählte das Amt Meinersen im 17. Jahrhundert. Der Kartograph Johannes Mellinger (um 1538-1603) hatte „daß Ambt Meinerßen" in seinem Atlas des Fürstentums Lüneburg, den er gegen 1600 veröffentlichte, farblich dargestellt. Einige Flecken südlich von Eickenrode fehlen hier noch (Bohlen, Erholung, Papenhorst). Das Werk ist in einer Publikation des Verlags für Regionalgeschichte aus dem Jahre 2001 abgedruckt (Hrsg.: Peter Aufgebauer, Autoren: Kirstin Casemir, Ursula Geller, Dieter Neitzert, Uwe Ohainski und Gerhard Streich). In Klammern ist angegeben, auf welcher Seite der betreffende Ort in diesem Buch genannt wird:

**Abbeile** (37, 64)

**Abbensen** (33)

**Ahlemissen**

**Ahnsen** (23, 105)

**Ahrbeck**

**Altmerdingsen**

**Alvesse** (35, 105)

**Ambostel** (18)

**Benrode**

**Blumenhagen** (31)

**Böckelse**

**Dahrenhorst**

**Dedenhausen**

**Dollbergen**

**Duttenstedt**

**Eddesse**

**Edemissen** (19, 21, 54, 89, 135)

**Eickenrode** (145)

**Eixe** (24, 26, 102)

**Eltze** (11, 31, 67 ff., 104, 106)

**Eugesen** (offenbar **Ankensen**)

**Hänigsen** (12, 33, 39, 75, 90, 105, 107)

**Hardesse**

**Horst**

**Katensen** (18)

**Krätze**

**Landwehr**

**Meinersen**

**Modesse**

**Neue Mühle**

**Obershagen** (10, 33, 101 f., 107 f.)

**Ohof**

**Päse** (11, 35, 91, 139)

**Plockhorst**

**Rietze** (30, 53)

**Röddensen**

**Röhrse**

**Schäferei**

**Schwüblingsen** (93, 103)

**Seershausen** (5, 23, 30, 50, 101, 104)

**Sieversdamm**

**Sievershausen** (54, 89)

**Stederdorf** (30, 53, 88, 92, 102)

**Uetze** (11, 14, 18 f., 31, 34, 36, 41)

**Voigtholz**

**Wackerwinkel** (36)

**Walsförder Mühle**

**Warmse**

**Wehnsen**

**Wendesse**

**Wiedenrode** (70, 134)

**Wipshausen** (35)

# Vermischtes

## Grausame Justiz.

Eine grausame Justiz gegen Pestverdächtige übte man im 17. Jahrhundert. Im Jahre 1619 hatten sich an der sächsischen Grenze Spuren der Pest gezeigt; zwei Männer verließen aus Furcht vor derselben ihren Wohnort und kamen in das hannöversche Amt Meinersen. Kaum erzählten sie dort den Grund ihrer Auswanderung, so wurden sie verhaftet. Die Verhaftung geschah am 14. August, am 15. wurde der Fall den Gerichten gemeldet und am 20. August kam das dem Landesherrn zur Bestätigung vorgelegte Urteil schon wieder zurück nach Meinersen. Man schritt sofort zur Vollstreckung desselben. Beide Delinquenten, welche außerhalb des Ortes in einer Hütte eingesperrt und bewacht worden, wurden zu einem lodernden Feuer an den Fluß geführt, während man ihnen gleichzeitig mitteilte, daß sie mit dem Tode bestraft werden sollten. Sie mußten sich angesichts des Feuers entkleiden, mit großen Feuerhaken wurden darauf ihre Kleidungsstücke in das Feuer gezogen und verbrannt; den beiden warf man aus einiger Entfernung Schlingen über und riß sie bis zum Flusse, in welchem man sie hin- und herzog, jedoch mit solcher Vorsicht, daß sie nicht ertrinken konnten. Nach diesem gewaltsamen Bade schleppte man sie wieder nach dem Feuer und warf ihnen zur notdürftigen Bekleidung alte Sachen hin mit der Erklärung, sie wären nun allenfalls genug gereinigt, um vor dem peinlichen Halsgericht ihr Todesurteil zu hören. Beide wurden nun langsam zum Gericht geführt; nachdem sie dem Richter ihre frühere arglose Erzählung der Auswanderung wiederholt hatten, wurde der Stab über sie gebrochen und der nicht weit von ihnen stehende Scharfrichter aufgefordert, seines Amtes zu walten. Nach einer langsamen Wallfahrt durch diesen Sand gelangten sie unter Sterbeliedern, welche die Schuljugend sang, nach dem Rabenstein. Bei ihrer Ankunft daselbst entkleideten sie die Knechte des Scharfrichters, dann wurden sie an den Galgen festgebunden, und, wie es im Erkenntnis wörtlich hieß: „rechtschaffen und dergestalt mit scharfen Ruten ausgestrichen, daß es ihnen selbst zur wohlverdienten Strafe, andern aber zum warnenden Beispiel diene." Dann wurden sie begnadigt, denn die Todesstrafe war auf diese Weise gemildert worden, jedoch mit der ausdrücklichen Vorschrift, mit der Begnadigung zu zögern, „damit sie mittlerweile von der Todesangst so lange wie möglich gequält werden möchten." Man machte ihnen bekannt, daß sie statt der mit Recht verdienten Todesstrafe nur des Landes verwiesen werden sollten, was auch sofort geschah.

*Cellesche Zeitung vom 9. November 1912.*

# Anhang 3: Literatur

Horst Berner: 850 Jahre Meinersen 1154-2004, berner-horst@online.de, ISBN 393465302-2, Hrsg.: Gemeinde Meinersen

Ralf Bierod: Von Henighusen zu Hänigsen – 775 Jahre aus unserer Geschichte, Eine Dorfchronik, Hänigsen 2000, S. 38

Matthias Blazek: Hexenprozesse – Galgenberge – Hinrichtungen – Kriminaljustiz im Fürstentum Lüneburg und im Königreich Hannover, Stuttgart 2006

Matthias Blazek: Ein Beitrag zur Braunschweiger Stadtgeschichte: Hexenwahn und Kriminalgerichtsbarkeit, Aufsatz in: Braunschweigischer Kalender 2008, Braunschweig 2007

Helmut Buchholz: Meinersen von der Reformation bis heute, Meinersen 1979

Ernst Heuer: Chronik Seershausen 1226-2000, Meinersen 2000, S. 61 ff.

Otto Carl Niemeyer: Ueber Criminal-Verbrechen, peinliche Strafen, und deren Vollziehungen, besonders aus älteren Zeiten / aus den Criminal-Acten des Königl. Hannov. Amts Meinersen größtentheils gesammelt, Lüneburg 1824 (Bibliothek des OLG Celle A 64.447.553); Niemeyers Werk ist als Anhang in das Neue vaterländische Archiv, Jahrgang 1824, eingearbeitet

Manfred Obst: Obershagen – Aus der Geschichte eines niedersächsischen Hagenhufendorfes, Burgdorf 1999, S. 88 f.

Dorothea und Günter Radtke (Hrsg.): Chronik Uetze, Ein Dorf im Wandel der Jahrhunderte, Uetze o.J. (1997), S. 66 (Dorothea Radtke: „Scharfrichter und Abdecker")

Theodor Roscher: Criminalia, Aufsatz in: Hannoversche Geschichtsblätter, 1. Jahrgang 1898, Nr. 22 (29.05.1898), S. 172 f., Nr. 23 (05.06.1898), S. 182 ff., Nr. 24 (12.06.1898), S. 186 ff.

Hermann Schwenke: Die Hinrichtungsstätte des ehemaligen Amtes Meinersen, in: Peiner Heimatkalender 1989, Peine 1988, S. 41 ff.

Michael Wrage: Der Staatsrat im Königreich Hannover 1839-1866, Juristische Schriftenreihe, Band 161, Berlin-Hamburg-Münster 2001, S. 91

Die Peinliche Gerichtsordnung Kaiser Karls V. (Carolina), herausgegeben und erläutert von Friedrich-Christian Schroeder, Reclam, Stuttgart 2000

*Sachsenspiegel in der Celleschen Zeitung:*

3/16.04.1938: Adolf Heuer, Seershausen: Vom Leben des berüchtigten Pferdediebes Cordes – Aus den Gerichtsakten des Amts Meinersen

2/18.01.1964: Friedrich Barenscheer: Die Nachrichterei in der St. Georgstraße

22/12.06.1965: NN: Ein Rest mittelalterlicher Justiz – Tortur in Meinersen im Jahre 1818

46/24.12.1974: Adolf Meyer, Immensen: Ertränken als Strafmethode – Zuletzt 1765 in Meinersen praktiziert – Jahrhundertelang galt die Peinliche Gerichtsordnung Kaiser Karls V.

1/02.01.1982: Adolf Meyer: Folter wegen eines Pferdediebstahls – Letztes Beispiel einer „Real-Territion" in unserer Heimat I

2/09.01.1982: Adolf Meyer: Folter wegen eines Pferdediebstahls – Letztes Beispiel einer „Real-Territion" in unserer Heimat II

32/21.08.1982: Albert Depenau: Vier Mordtaten in neun Jahren – Im Kirchenbuch festgehalten (Hänigsen 1614-1623)

24/16.06.1984: Friedrich Wilhelm Schoof: „Kanzel-Beredtsamkeit" im Zeitalter der Aufklärung – 1817: Ein Mord im Amt Gifhorn und die Verherrlichung staatlicher Gewalt durch die Kirche I (Teil 2: 25/23.06.1984)

45/09.11.1984: Dieter Wittenberg: Die Exekutionsstätte für an den Galgen durch Erhängen Verurteilte lag bei Ohof – Verirrte Pestflüchtlinge dreimal mit dem Tod „geschreckt"

31/02.08.1986: Otto Sroka: Die letzte Folterung im Königreich Hannover – 1818 in Meinersen

5/05.02.2000: Wolfgang Krüger: 1865 erste intramurane Hinrichtung in Celle – Enthauptungsmaschine mit Eisenbahn befördert / Aus der Kriminalgeschichte des Königreichs Hannover – Todesstrafe als Sühne für einen Aufsehermord in der Kettenstrafanstalt in Lüneburg

35/02.09.2006: Matthias Blazek: Der Fall der Catharina Dammann aus Hänigsen

45/11.11.2006: Matthias Blazek: Hinrichtungsstätte des ehemaligen Amtes Meinersen / Galgenberge im Zuge der Hexenverfolgungen benutzt – Von 1597 bis 1617 verfielen 26 Verurteilte dem Richtschwert, dem Strick oder dem Rad (Richtigstellung der Überschrift in der Celleschen Zeitung vom 13.11.2006)

12/24.03.2007: Blazek, Matthias: Die letzte Folterung im Königreich Hannover / Tortur durfte nicht länger als eine Stunde dauern – 1818 in Meinersen / Todeskandidat war ein wegen Pferdediebstahls Angeklagter I

13/31.03.2007: Blazek, Matthias: Die letzte Folterung im Königreich Hannover / Tortur durfte nicht länger als eine Stunde dauern – 1818 in Meinersen / Todeskandidat war ein wegen Pferdediebstahls Angeklagter II

21/24.05.2008: Matthias Blazek: Gewerbe war anfällig gegen Missbrauch / Einschränkung bei der Erteilung der Konzessionen – Nachrichterei und Abdeckerei in Celle im 19. Jahrhundert

31/02.08.2008: Matthias Blazek: Herzog Heinrichs Standgericht in der Heide: Vogt von Celle am nächsten Baume aufgehängt – Eine lüneburgische Begebenheit aus dem Leben des „Königs von der Haide"

35/30.08.2008: Matthias Blazek: Johann Hennig Wrede wurde 1829 wegen Mordes an Henriette Elisabeth Hornbostel hingerichtet – Die 20 Jahre alte Dienstmagd hätte gerettet werden können / Letzte Hinrichtung bei Ohof

*Aufsätze im Burgdorfer Kreisblatt:*

19.04.1929: H. A. Edger: Auf der alten Heerstraße – Streit und Tod eines Uetzer Mannes im Jahre 1787

*Aufsätze in der Beilage zum Burgdorfer Kreisblatt/Lehrter Stadtblatt „Unser Kreis":*

5/13.05.1972: Adolf Meyer: Abdecker hatten einen einträglichen Beruf

5/12.05.1984: NN: Wider die Pferde-Dieberey – „Fügen wir hiemit jedermänniglich zu wissen ..." / Eine landesherrliche Verordnung aus dem Jahre 1708

6/16.06.1984: Gerhard Seiffert: Burgdorferin wegen Pferdediebstahls hingerichtet

*Aufsätze im Anzeiger für Burgdorf & Uetze:*

26.07.2008: Matthias Blazek: Gerädert, geviertelt, verbrannt – Kriminelle aus Obershagen, Hänigsen und Uetze wurden bei Ohof mit dem Tode bestraft

12.08.2008: Matthias Blazek: Cordes entging seiner Bestrafung – Zwischen 1597 und 1617 wurden auf dem Richtgelände bei Ohof elf Mörder enthauptet

19.08.2008: Matthias Blazek: Aus Not stiehlt Margarethe Dammann ein Pferd – Schöne Schustersfrau aus Hänigsen wurde 1746 hingerichtet

*Aufsätze im Heimatkalender für die Lüneburger Heide:*

1984, Seite 32 ff.: Christoph Beeck: Bienendieb wurde des Landes verwiesen – Hans Köneke machte um das Jahr 1588 die Gegend um Burgdorf unsicher

## DER VERFASSER

*Matthias Blazek*

Heimatkundler.

Veröffentlichungen:

Dörfer im Schatten der Müggenburg, 1997.

L'Histoire des Sapeurs-Pompiers de Fontainebleau, 1999.

Ahnsbeck, 2003.

Dorfgeschichte Wiedenrode, 2004.

Die Geschichte der Bezirksregierung Hannover im Spiegel der Verwaltungsreformen, 2004.

Dorfchronik Nienhof, 2005.

Schillerslage, 2005.

75 Jahre Ortsfeuerwehr Wienhausen, 2005.

Hexenprozesse – Galgenberge – Hinrichtungen – Kriminaljustiz im Fürstentum Lüneburg und im Königreich Hannover, 2006.

Das niedersächsische Bandkompendium 1963-2003, 2006.

Das Löschwesen im Bereich des ehemaligen Fürstentums Lüneburg von den Anfängen bis 1900, 2006.

Das Kurfürstentum Hannover und die Jahre der Fremdherrschaft 1803-1813, 2007.

75 Jahre Niedersächsische Landesfeuerwehrschule Celle 1931-2006, 2007.

Celle – Neu entdeckt, 2007.

Geschichten und Ereignisse um die Celler Neustadt, 2008.

Die Hinrichtungsstätte des Amtes Meinersen, 2008.

Zahlreiche weitere Aufsätze und Quellenveröffentlichungen zur niedersächsischen Landesgeschichte.

**Matthias Blazek**

**Das Kurfürstentum Hannover und die Jahre der Fremdherrschaft
1803-1813**

*„Schließlich kann man Matthias Blazeks Buch auch deshalb lesen, weil es – bei
aller Genauigkeit – unterhaltsam ist. "*
Schaumburger Wochenblatt

Diese Arbeit nimmt sich der Epoche der französischen Fremdherrschaft, der
„Franzosenzeit", der Jahre 1803 bis 1813 an. Es war die Zeit, in der der Kaiser
der Franzosen Napoleon I. Niedersachsen in sein Kaiserreich einverleibte und
für seinen jüngsten Bruder ein neues Königreich, das Königreich Westphalen,
schuf. Das Kurfürstentum Hannover hatte sehr unter den Kontributionen zu leiden, die Franzosen nisteten sich scharenweise in den Häusern ein und ließen es
sich gut gehen. Erst die Völkerschlacht bei Leipzig im Jahre 1813 setzte dem
Treiben ein Ende.

Obwohl beispielsweise während des letzten Krieges wesentliche Akten aus der
französischen Besatzungszeit 1803/04 in unseren Archiven verloren gegangen
sind, können wir anhand des verbliebenen Materials doch noch mancherlei Einblicke in diese Zeit gewinnen und einige Schlaglichter auf die damaligen Verhältnisse in unserer Heimat werfen.

Es bleibt einmal wieder eine Spurensuche, die sich zum Ziel gesetzt hat, Quellen
zu nennen und auszuwerten.

*ibidem*-Verlag, Stuttgart 2007, ISBN-10: 3-89821-777-9, 152 Seiten, Paperback,
14,90 €, Tel. 0711/9807954

**Matthias Blazek**

**Hexenprozesse – Galgenberge – Hinrichtungen – Kriminaljustiz
im Fürstentum Lüneburg und im Königreich Hannover**

*„Ich gebe zu, dass ich von vielen Kapiteln nur die Überschriften gelesen habe. Von Inquisitionen und Hinrichtungen, von Hexenverbrennungen und Martern, von Räubern, Mördern und von ihren Scharfrichtern konnte ich keine weiteren Details mehr ertragen. Aber diesen wahrhaft peinlichen Bereich der Heimatgeschichte nicht auszublenden, sondern öffentlich zugänglich zu machen, ist ohne Zweifel verdienstvoll. "*
Wathlinger Echo

Realität, Heimatgeschichte und Spannung in einem: Matthias Blazek fesselt den Leser mit seinem neuen Werk, „Hexenprozesse – Galgenberge – Hinrichtungen – Kriminaljustiz im Fürstentum Lüneburg und im Königreich Hannover". Auf 320 Seiten hat der Chronist und Heimatkundler aus Adelheidsdorf die Ergebnisse seiner umfangreichen Recherchen in den niedersächsischen Archiven zu Papier gebracht. Zahlreiche Einzelschicksale aus den Orten um Celle, Uelzen, Lüneburg, Burgdorf, Lüchow und Dannenberg hat er zu Papier gebracht. Lücken in den Dorfchroniken werden geschlossen, wenn die Kriminalverbrechen angesprochen werden. Zu guter Letzt erfährt der Fall des Nickel List eine völlig neue Bewertung durch die Zuziehung weitgehend unberücksichtigter Quellen.

Ein Muss für den geschichtsbewussten Leser.

*ibidem*-Verlag, Stuttgart 2006, ISBN-10: 3-89821-587-3, 320 Seiten, Paperback, 29,90 €, Tel. 0711/9807954

*ibidem*-Verlag

Melchiorstr. 15

D-70439 Stuttgart

info@ibidem-verlag.de

www.ibidem-verlag.de
www.ibidem.eu
www.edition-noema.de
www.autorenbetreuung.de